1일 10분

초등 메가 어휘력

예비 초등

P2

자기 주도 학습력을 기르는 1일 10분 공부 습관!

공부가 쉬워지는 힘, 자기 주도 학습력!

자기 주도 학습력은 스스로 학습을 계획하고, 계획한 대로 실행하고, 결과를 평가하는 과정에서 향상됩니다.
이 과정을 매일 반복하여 훈련하다 보면 주체적인 학습이 가능해지며 이는 곧 공부 자신감으로 연결됩니다.

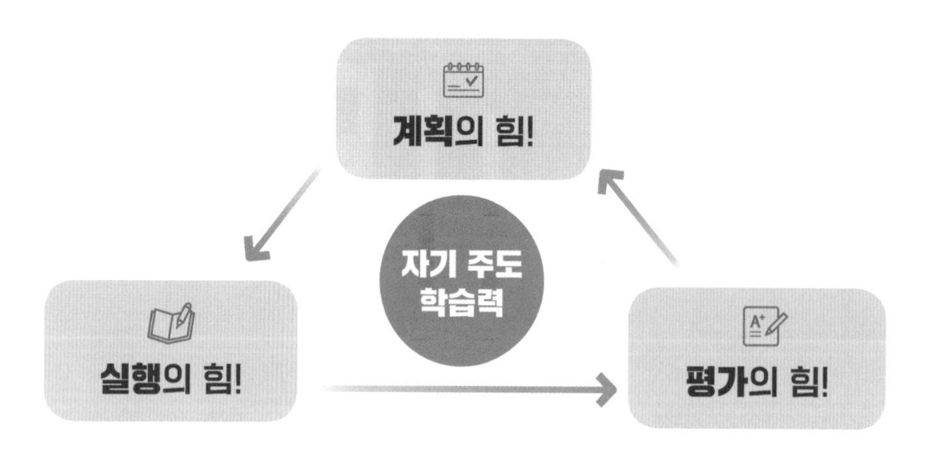

1일 10분 시리즈의 3단계 학습 로드맵

〈1일 10분〉 시리즈는 계획, 실행, 평가하는 3단계 학습 로드맵으로 자기 주도 학습력을 향상시킵니다.
또한 1일 10분씩 꾸준히 학습할 수 있는 **부담 없는 학습량으로 매일매일 공부 습관이 형성**됩니다.

1단계 학습 계획하기

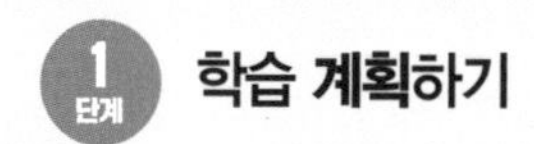

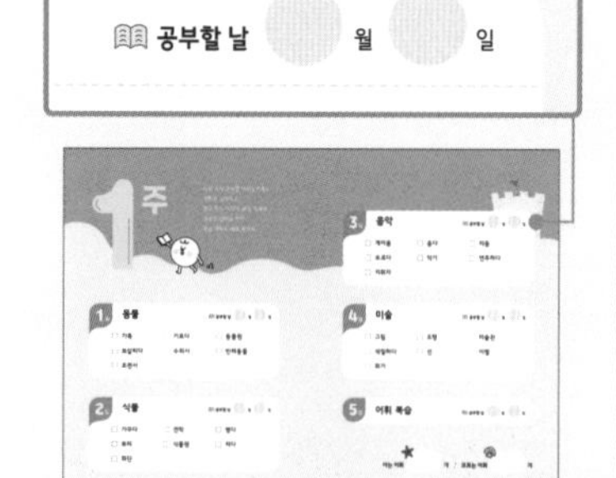

주 단위로 학습 목표를 확인하고 학습할 날짜를 스스로 계획하는 과정에서 자기 주도 학습력이 향상됩니다.

2단계 학습 실행하기

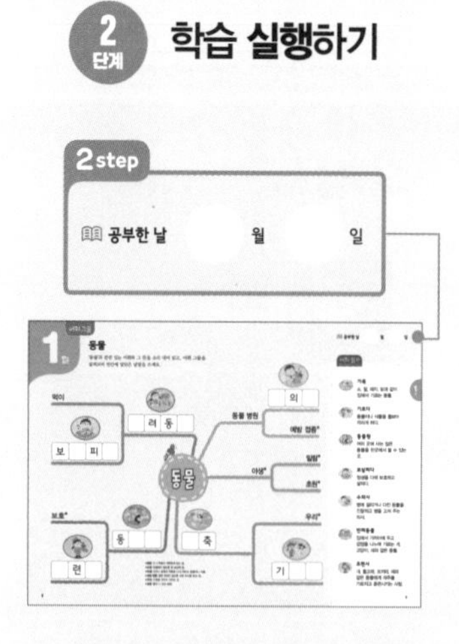

1일 10분 주 5일 매일 일정 분량 학습으로, 초등 학습의 기초를 탄탄하게 잡는 공부 습관이 형성됩니다.

3단계 결과 평가하기

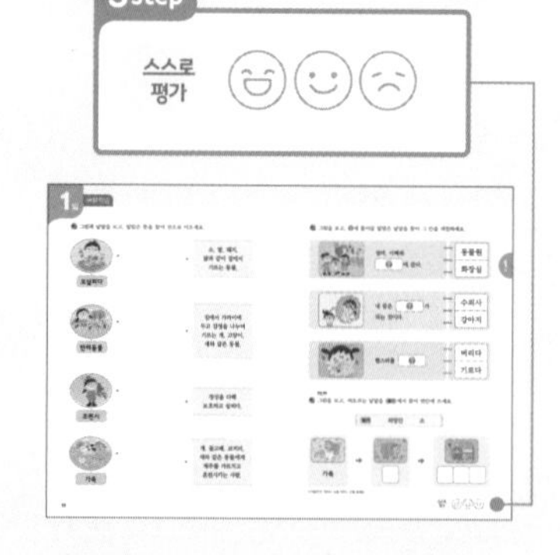

학습을 완료하고 계획대로 실행했는지 스스로 진단하며 성취감과 공부 자신감이 길러집니다.

이 책의 특징

마인드맵으로 배우는 교과 어휘

초등 메가 어휘력

첫째! **마인드맵을 활용하여 어휘를 효과적으로 학습합니다.**

마인드맵은 영국의 두뇌학자인 토니 부잔(Tony Buzan)이 만든 시각적인 사고 도구(Visual Thinking)로, 좌뇌와 우뇌를 동시에 사용하여 자신의 생각을 지도를 그리듯 이미지화한 것입니다. 전문가들은 마인드맵을 활용하면 어휘를 깊이 있게 이해하고 더 오래 기억할 수 있다고 말합니다. 〈1일 10분 초등 메가 어휘력〉은 주제를 중심으로 어휘 사이의 관계를 이해하고 사고력, 창의력, 기억력을 높여 어휘를 효과적으로 학습할 수 있도록 합니다.

둘째! **교과 선정 어휘로 구성하여 교과 학습을 도와줍니다.**

〈1일 10분 초등 메가 어휘력〉은 초등 교과를 바탕으로 선정한 주제와 그와 관련된 어휘들로 이루어져 있습니다. 교과에서 선정한 어휘를 주제별로 묶어, 주제를 중심으로 어휘를 학습하면서 자연스러운 교과 학습뿐 아니라 교과목을 넘나드는 융합적인 어휘력을 기를 수 있습니다.

셋째! **다양한 어휘 활동으로 어휘력을 향상시켜 줍니다.**

무작정 외우는 학습법으로는 어휘를 다양하게 활용할 수 없습니다. 〈1일 10분 초등 메가 어휘력〉은 어휘와 어휘 사이의 관계를 파악하고 다양한 쓰임새를 학습하도록 구성하였습니다. 학습 어휘를 바탕으로 연상 어휘, 유의어, 반의어, 한자어, 상위어, 하위어, 속담, 관용구, 사자성어 등 다양한 문제를 제공하여 어휘력을 향상시키는 동시에 사고력도 키워 줍니다.

넷째! **자기 주도적인 공부 습관을 길러 줍니다.**

아이 스스로 공부할 수 있도록 이끌어 주려면 아이가 소화할 수 있는 학습량을 제시해 주어야 합니다. 〈1일 10분 초등 메가 어휘력〉은 1일 4쪽 분량으로 아이 혼자서도 부담 없이 재미있게 공부할 수 있도록 구성되어 있습니다. 어휘 그물을 채우고 문제를 푸는 반복적인 과정을 통해 어휘를 익히고, 스스로 어휘 그물을 그려 보며 자기 주도적인 공부 습관을 기를 수 있게 도와줍니다.

이 책의 구성

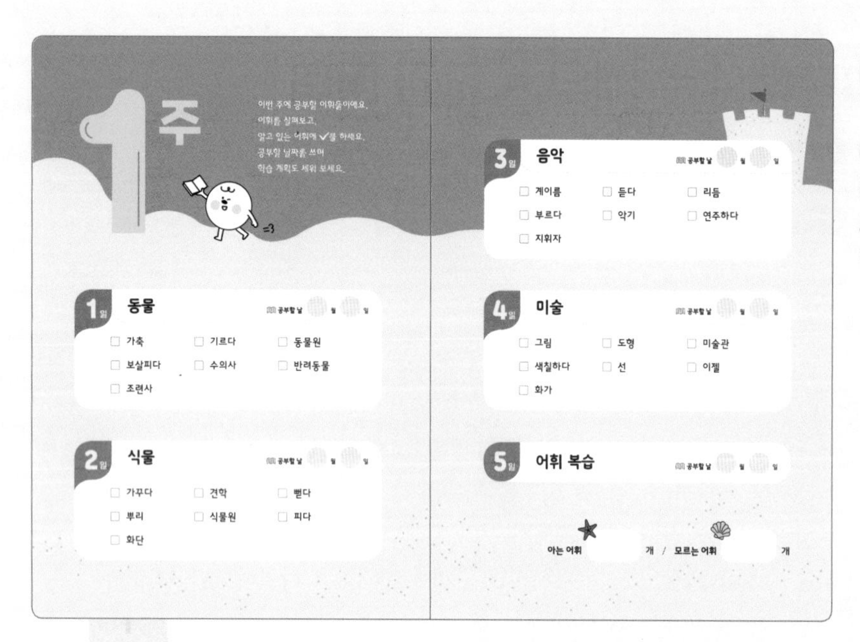

1주

이번 주에 공부할 어휘들이에요.
어휘를 살펴보고,
알고 있는 어휘에 ✓를 하세요.
공부할 날짜를 쓰며
학습 계획도 세워 보세요.

1일 동물 공부할 날 월 일

- 가축
- 기르다
- 동물원
- 보살피다
- 수의사
- 반려동물
- 조련사

2일 식물 공부할 날 월 일

- 가꾸다
- 견학
- 뻗다
- 뿌리
- 식물원
- 피다
- 화단

3일 음악 공부할 날 월 일

- 계이름
- 듣다
- 리듬
- 부르다
- 악기
- 연주하다
- 지휘자

4일 미술 공부할 날 월 일

- 그림
- 도형
- 미술관
- 색칠하다
- 선
- 이젤
- 화가

5일 어휘 복습 공부할 날 월 일

아는 어휘 개 / 모르는 어휘 개

어휘 미리보기

본격적으로 학습하기 전에 주별 학습 어휘 주제를 미리 살펴봅니다. 아는 어휘와 모르는 어휘가 각각 얼마나 되는지 체크합니다.

어휘 그물

어휘의 설명을 읽고, 마인드맵 형식으로 표현한 어휘 그물의 빈칸을 채우며 주제별 어휘를 학습합니다. 어휘 그물의 학습 어휘는 생활과 밀접한 생활 어휘와 초등학교 교과에서 주요하게 다루는 어휘로 선정하였습니다.

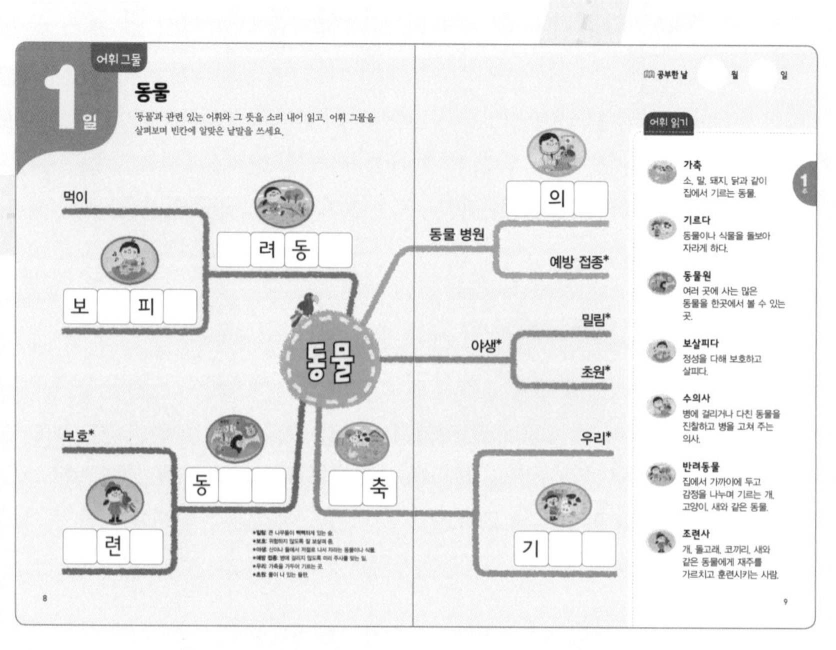

1일 어휘 그물

동물

'동물'과 관련 있는 어휘와 그 뜻을 소리 내어 읽고, 어휘 그물을 살펴보며 빈칸에 알맞은 낱말을 쓰세요.

공부한 날 월 일

어휘 읽기

- 가축: 소, 말, 돼지, 닭과 같이 집에서 기르는 동물.
- 기르다: 동물이나 식물을 돌보아 자라게 하다.
- 동물원: 여러 곳에 사는 많은 동물을 한곳에서 볼 수 있는 곳.
- 보살피다: 정성을 다해 보호하고 살피다.
- 수의사: 병에 걸리거나 다친 동물을 진찰하고 병을 고쳐 주는 의사.
- 반려동물: 집에서 가까이에 두고 감정을 나누며 기르는 개, 고양이, 새와 같은 동물.
- 조련사: 개, 돌고래, 코끼리, 새와 같은 동물에게 재주를 가르치고 훈련시키는 사람.

8 9

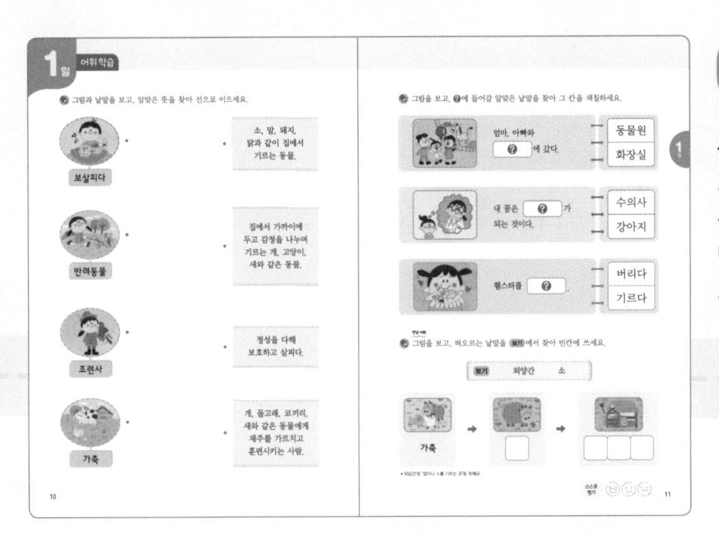

어휘 학습

문장 속에서 어휘를 활용한 문제, 어휘의 뜻을 명확하게 인지하는 문제로 확실하게 어휘를 익힙니다. 학습 어휘를 중심으로 연상 어휘, 비슷한말, 반대말, 포함하는 말, 포함되는 말을 배우며 어휘 간의 관계를 파악하고 어휘의 범위를 확장시킵니다. 속담, 사자성어, 관용구에 대해서도 알아봅니다.

어휘 복습

1~4일에서 학습한 어휘를 교과별로 분류하여 문제를 풀어 봅니다. 앞에서 배운 어휘의 뜻을 제대로 이해했는지 복습하고, 교과별로 새로 나온 어휘도 익혀 봅니다. 동시, 일기 형태의 다양한 글을 읽으며 앞에서 학습한 어휘를 익혀 봅니다.

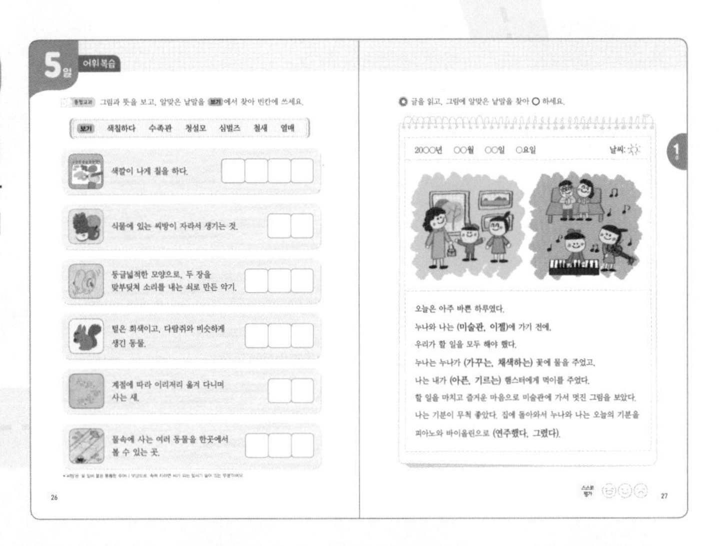

어휘 놀이

빈 곳에 들어갈 낱말 찾기

내가 만드는 어휘 그물

어휘 놀이 + 내가 만드는 어휘 그물

빈 곳에 들어갈 낱말 찾기, 숨어 있는 그림 찾기, 낱말 퍼즐, 빙고 등의 재미있는 놀이로 학습 어휘를 확인합니다. 관심 있는 주제와 관련 어휘들을 자유롭게 적어 나만의 어휘 그물도 만들어 봅니다.

이번 주에 공부할 어휘들이에요.
어휘를 살펴보고,
알고 있는 어휘에 ✓를 하세요.
공부할 날짜를 쓰며
학습 계획도 세워 보세요.

1일 동물

공부할 날 월 일

- ☐ 가축
- ☐ 기르다
- ☐ 동물원
- ☐ 보살피다
- ☐ 수의사
- ☐ 반려동물
- ☐ 조련사

2일 식물

공부할 날 월 일

- ☐ 가꾸다
- ☐ 견학
- ☐ 뻗다
- ☐ 뿌리
- ☐ 식물원
- ☐ 피다
- ☐ 화단

3일 음악

공부할 날 월 일

- ☐ 계이름
- ☐ 듣다
- ☐ 리듬
- ☐ 부르다
- ☐ 악기
- ☐ 연주하다
- ☐ 지휘자

4일 미술

공부할 날 월 일

- ☐ 그림
- ☐ 도형
- ☐ 미술관
- ☐ 색칠하다
- ☐ 선
- ☐ 이젤
- ☐ 화가

5일 어휘 복습

공부할 날 월 일

아는 어휘 개 / 모르는 어휘 개

어휘 그물

동물

'동물'과 관련 있는 어휘와 그 뜻을 소리 내어 읽고, 어휘 그물을 살펴보며 빈칸에 알맞은 낱말을 쓰세요.

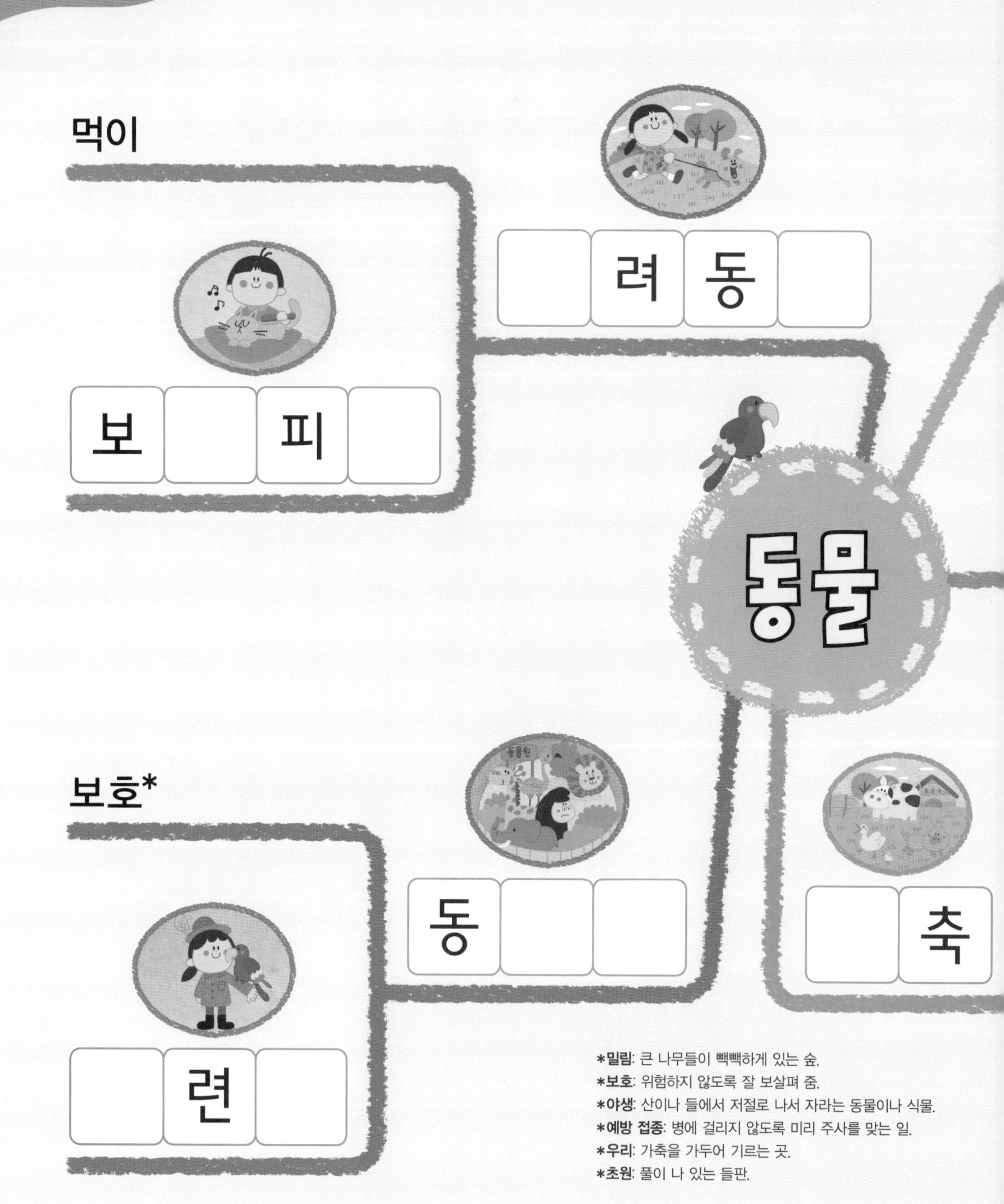

*밀림: 큰 나무들이 빽빽하게 있는 숲.
*보호: 위험하지 않도록 잘 보살펴 줌.
*야생: 산이나 들에서 저절로 나서 자라는 동물이나 식물.
*예방 접종: 병에 걸리지 않도록 미리 주사를 맞는 일.
*우리: 가축을 가두어 기르는 곳.
*초원: 풀이 나 있는 들판.

동물 병원

예방 접종*

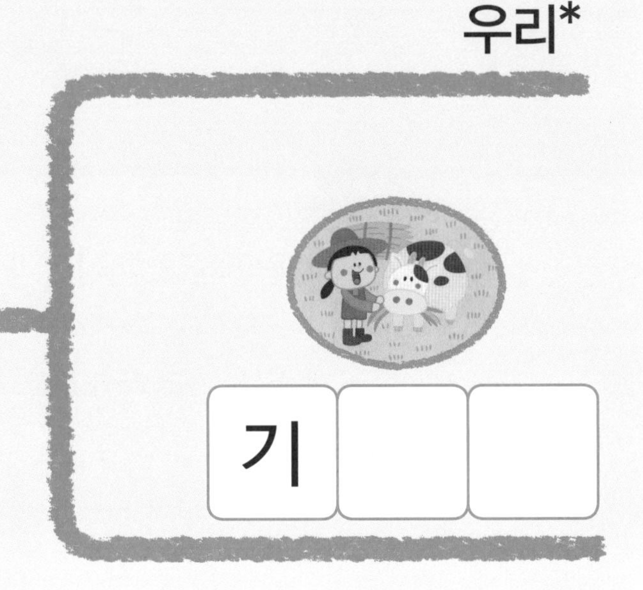

어휘 읽기

가축
소, 말, 돼지, 닭과 같이 집에서 기르는 동물.

기르다
동물이나 식물을 돌보아 자라게 하다.

동물원
여러 곳에 사는 많은 동물을 한곳에서 볼 수 있는 곳.

보살피다
정성을 다해 보호하고 살피다.

수의사
병에 걸리거나 다친 동물을 진찰하고 병을 고쳐 주는 의사.

반려동물
집에서 가까이에 두고 감정을 나누며 기르는 개, 고양이, 새와 같은 동물.

조련사
개, 돌고래, 코끼리, 새와 같은 동물에게 재주를 가르치고 훈련시키는 사람.

1일 어휘 학습

그림과 낱말을 보고, 알맞은 뜻을 찾아 선으로 이으세요.

보살피다

소, 말, 돼지,
닭과 같이 집에서
기르는 동물.

반려동물

집에서 가까이에
두고 감정을 나누며
기르는 개, 고양이,
새와 같은 동물.

조련사

정성을 다해
보호하고 살피다.

가축

개, 돌고래, 코끼리,
새와 같은 동물에게
재주를 가르치고
훈련시키는 사람.

그림을 보고, ?에 들어갈 알맞은 낱말을 찾아 그 칸을 색칠하세요.

연상 어휘

그림을 보고, 떠오르는 낱말을 보기에서 찾아 빈칸에 쓰세요.

보기 외양간 소

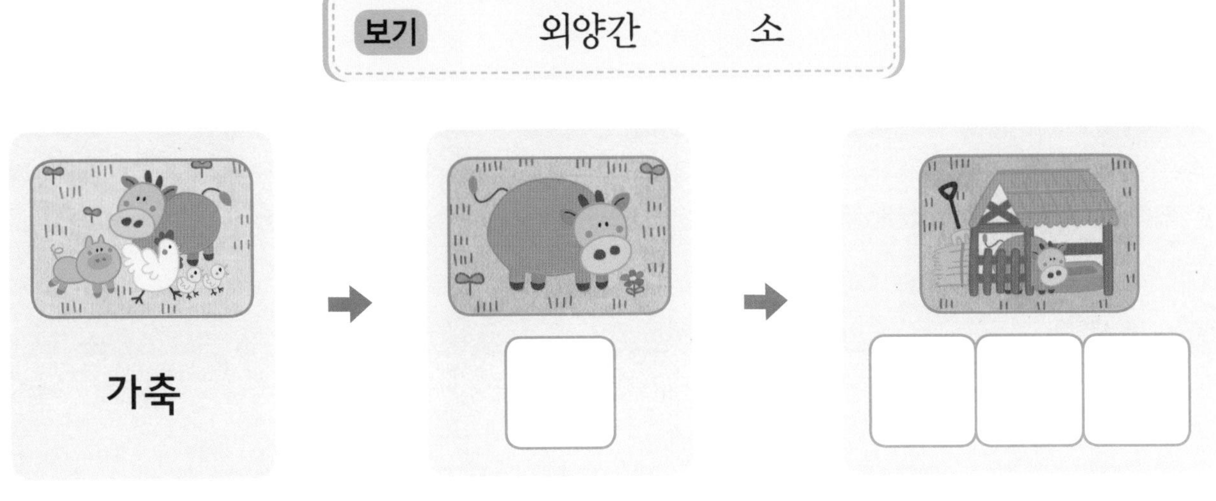

*'외양간'은 '말이나 소를 기르는 곳'을 뜻해요.

스스로 평가

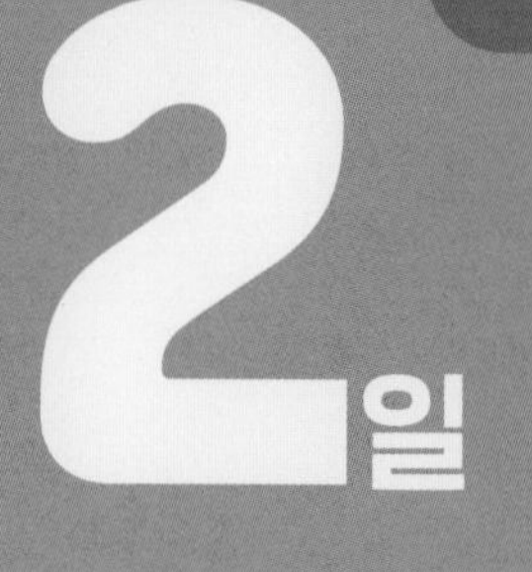

식물

'식물'과 관련 있는 어휘와 그 뜻을 소리 내어 읽고, 어휘 그물을 살펴보며 빈칸에 알맞은 낱말을 쓰세요.

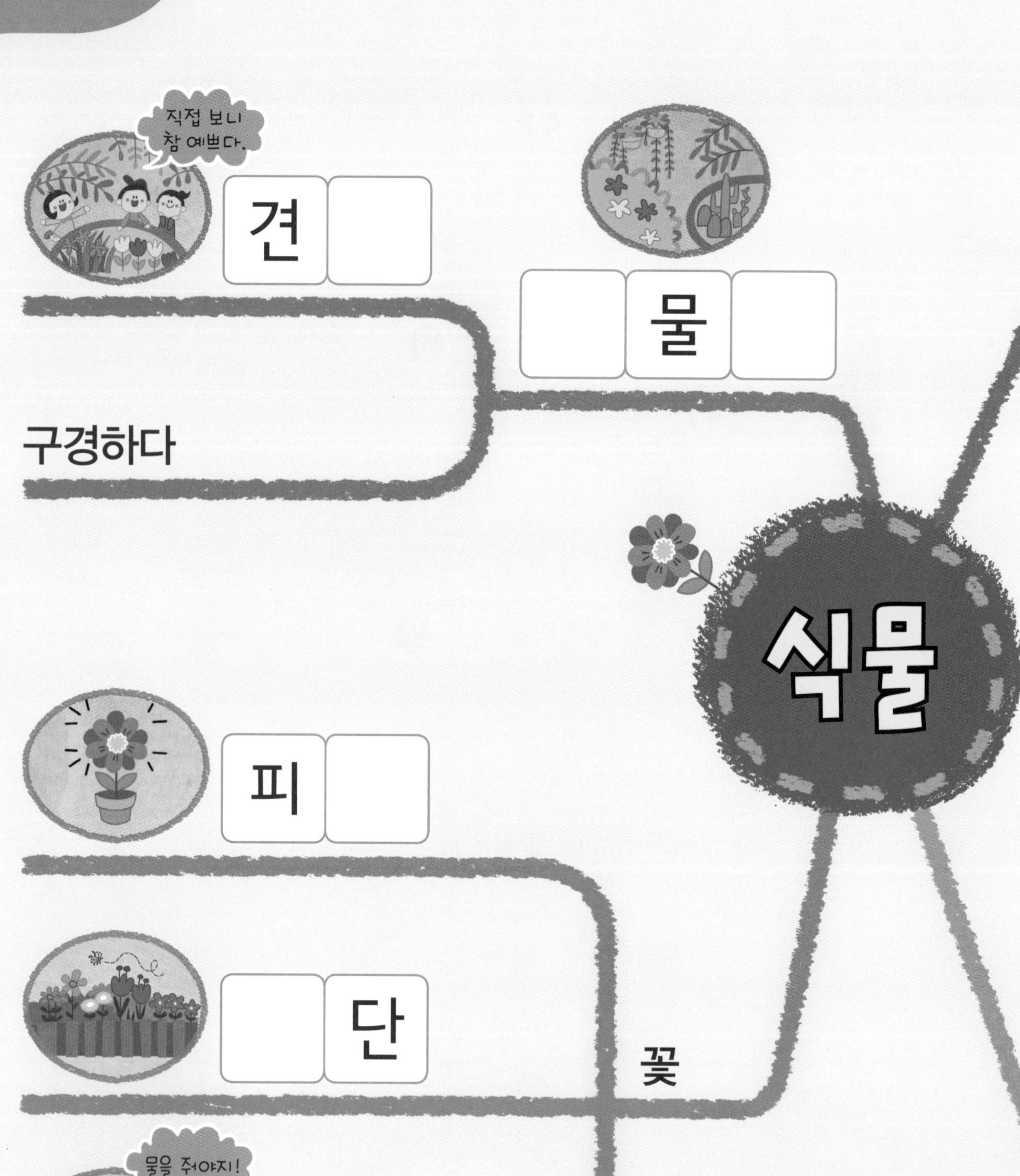

*곧다: 구불거리거나 삐뚤지 않고 똑바르다.
*잎맥: 잎 안에 있는 얇은 관. 물과 영양분을 날라 줌.
*지탱하다: 오래 버티거나 견뎌내다.

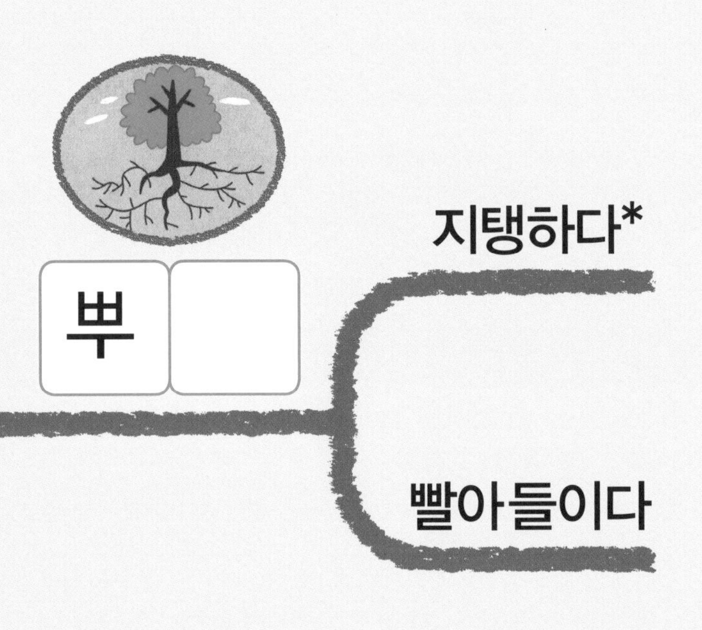

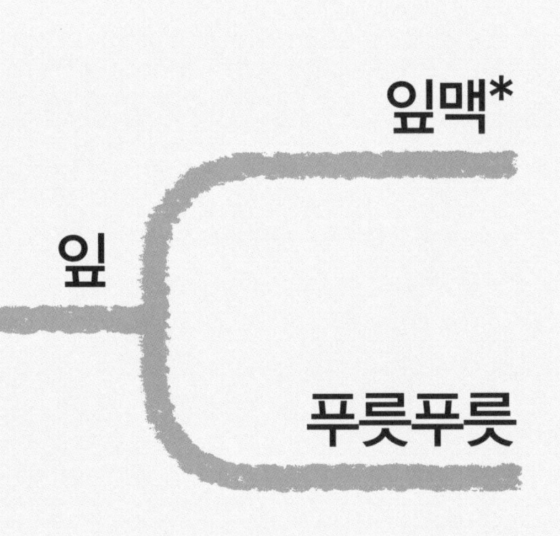

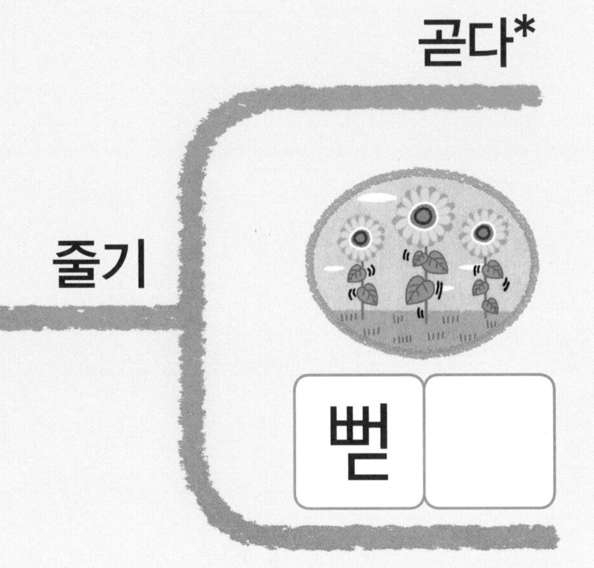

어휘 읽기

가꾸다
꽃과 나무들을 정성껏 보살피고 기르다.

견학
직접 가서 눈으로 보고 배움.

뻗다
가지나 줄기, 뿌리 등이 길게 자라나다.

뿌리
땅속에서 식물이 자라는 데 필요한 영양분과 물을 빨아들이고, 식물의 몸을 받쳐 주는 부분.

식물원
여러 가지 식물을 한곳에서 볼 수 있는 곳.

피다
꽃봉오리나 꽃잎 등이 넓게 펴져 활짝 벌어지다.

화단
꽃을 심기 위해 흙을 조금 높게 하여 만들어 놓은 꽃밭.

그림과 낱말을 보고, 알맞은 뜻을 찾아 줄을 그으세요.

가지나 줄기, 뿌리 등이 길게 자라나다.

땅속에서 식물이 자라는 데 필요한 영양분과 물을 빨아들이고, 식물의 몸을 받쳐 주는 부분.

여러 가지 식물을 한곳에서 볼 수 있는 곳.

꽃봉오리나 꽃잎 등이 넓게 퍼져 활짝 벌어지다.

그림을 보고, 알맞은 낱말을 찾아 흐린 글자를 따라 쓰세요.

식물원을 견학 / 정리 하니 즐겁다.

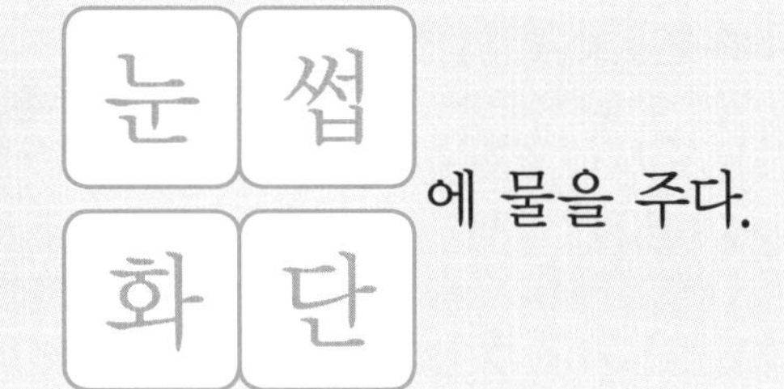

눈썹 / 화단 에 물을 주다.

장미꽃을 열심히

가꾸다. / 훔치다.

유의어

그림과 낱말을 보고, 비슷한말을 보기 에서 찾아 빈칸에 쓰세요.

보기 키우다 꽃밭

화단 = ☐☐

가꾸다 = ☐☐☐

스스로 평가

1 주

음악

'음악'과 관련 있는 어휘와 그 뜻을 소리 내어 읽고, 어휘 그물을 살펴보며 빈칸에 알맞은 낱말을 쓰세요.

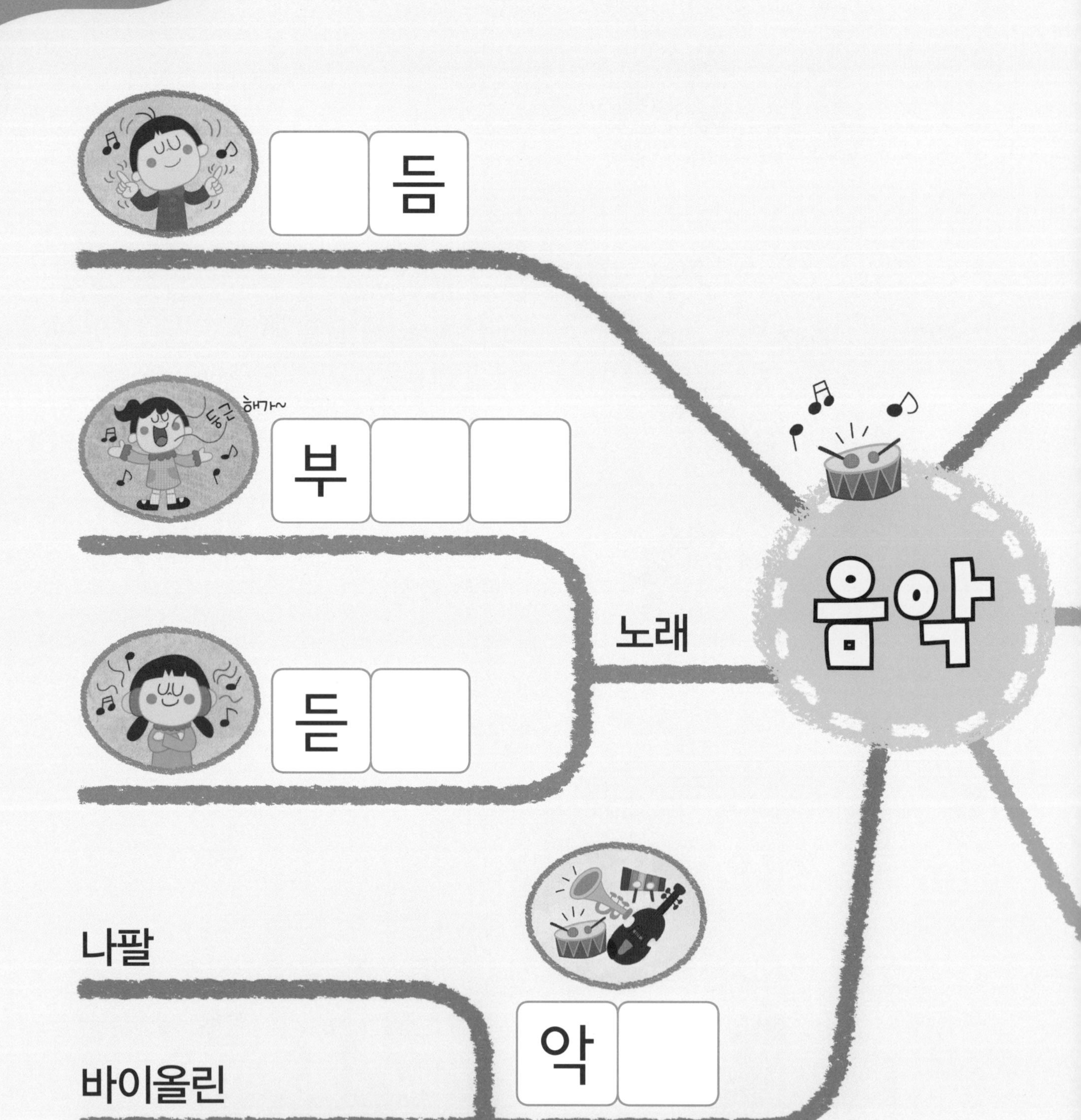

연 하

계

휘

음악가

성악가*

*성악가: 고전 음악이나 성악곡인 가곡을 부르는 일을 하는 사람.

어휘 읽기

계이름

소리의 높고 낮음에 따라 달라지는 음의 이름. 소리가 높아지는 차례대로 '도, 레, 미, 파, 솔, 라, 시'라고 부름.

듣다

귀를 통해 소리를 알아차리다.

리듬

크고 작은 소리, 길고 짧은 소리가 일정한 차례대로 반복되는 것.

부르다

음에 맞추어 노랫말을 소리 내다.

악기

나팔, 바이올린과 같이 음악을 연주하는 데 쓰는 기구.

연주하다

악기를 이용하여 음악을 들려주다.

지휘자

여러 사람이 함께 노래를 부르거나 악기를 연주할 때 소리를 잘 낼 수 있도록 앞에서 이끄는 사람.

그림과 뜻을 보고, 알맞은 낱말이 쓰인 길을 따라 줄을 그으세요.

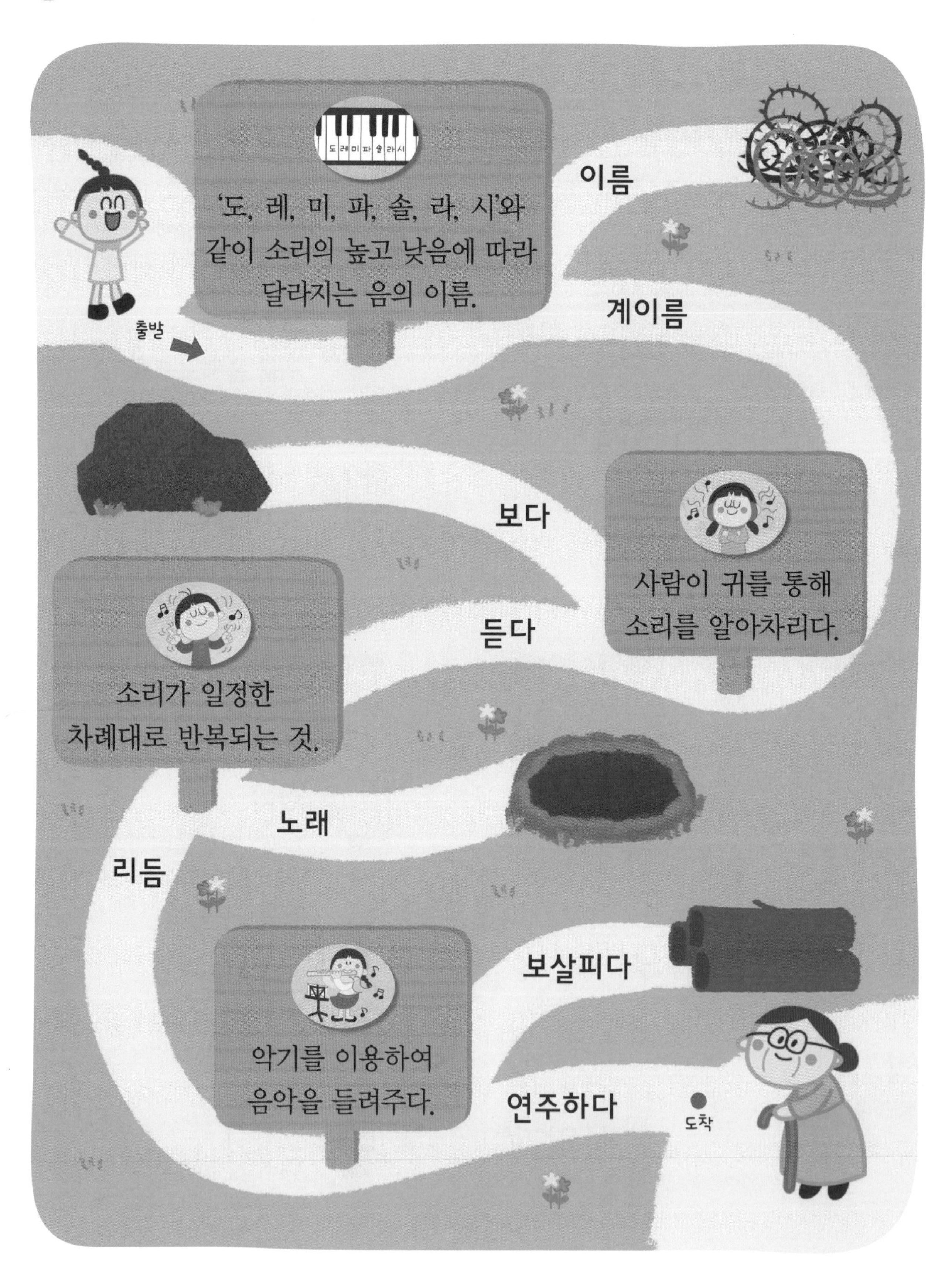

그림을 보고, ❓에 들어갈 알맞은 낱말을 찾아 선으로 이으세요.

연상 어휘

그림을 보고, 떠오르는 낱말을 보기 에서 찾아 빈칸에 쓰세요.

보기 흥겹다 춤

*'흥겹다'는 '매우 즐겁고 재미있어서 마음이 기쁘다'는 뜻이에요.

스스로 평가

미술

'미술'과 관련 있는 어휘와 그 뜻을 소리 내어 읽고, 어휘 그물을 살펴보며 빈칸에 알맞은 낱말을 쓰세요.

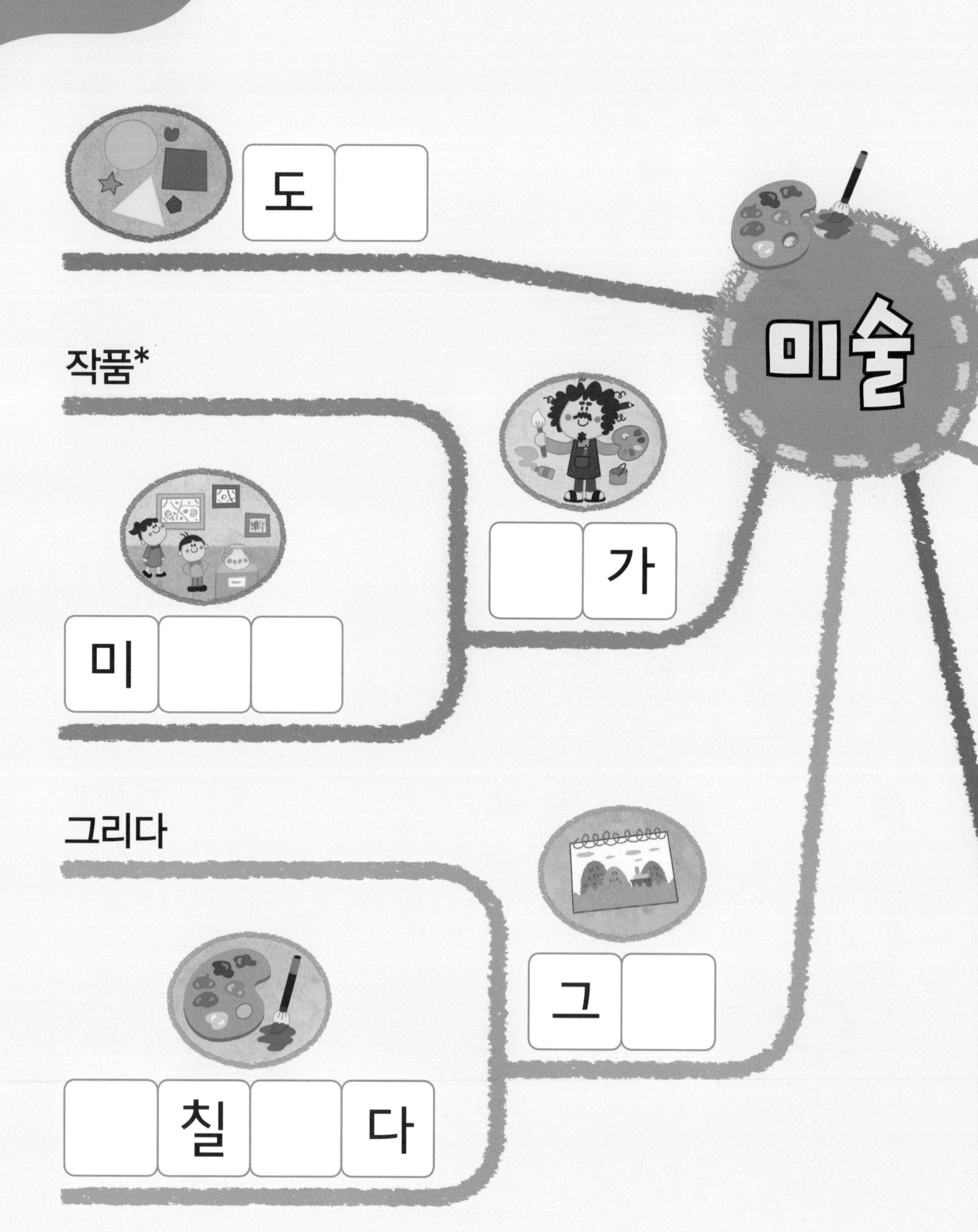

점

면*

물감

도구*

붓

이

*도구: 어떤 일을 할 때 쓰는 모든 물건을 부르는 말.
*면: 선이 여러 개 모여서 만들어진 평평한 바닥.
*작품: 특별한 기술이나 솜씨로 만든 새로운 물건.

어휘 읽기

그림
선을 긋고 색을 칠해 사람이나 물건, 자연의 모습을 나타낸 것.

도형
점, 선, 면으로 이루어진 모양.

미술관
그림이나 조각(나무, 돌 등을 깎거나 파서 만든 것) 등을 한곳에서 볼 수 있는 곳.

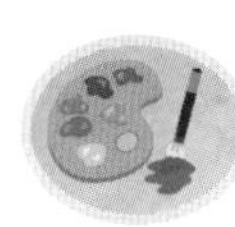

색칠하다
색깔이 나게 칠을 하다.

선
곧거나 구부러지게 그어 놓은 줄.

이젤
그림을 그릴 때 그림판을 올려놓는 틀.

화가
그림 그리는 일을 하는 사람.

그림과 뜻을 보고, 알맞은 낱말을 찾아 그 칸을 색칠하세요.

곧거나 구부러지게
그어 놓은 줄.

이젤	선

그림이나 조각 등을
한곳에서 볼 수 있는 곳.

미술관	동물원

색깔이 나게 칠을 하다.

소중하다	색칠하다

점, 선, 면으로 이루어진 모양.

점	도형

그림을 보고, 알맞은 낱말을 찾아 ○ 하세요.

나무 / 화가 는 상상력이 뛰어나다.

그림을 그리려고 이젤 / 양말 을 샀다.

너는 시험 / 그림 을 참 잘 그리는구나.

유의어

그림과 낱말을 보고, 비슷한말을 보기 에서 찾아 빈칸에 쓰세요.

보기 미술가 채색하다

화가 = ☐☐☐

색칠하다 = ☐☐☐☐

스스로 평가  

1주

국어 그림을 보고, 알맞은 낱말을 찾아 ○ 하세요.

들판에서 [수의사 / 당나귀] 를 보았다.

[화단 / 도형] 에 꽃이 활짝 피었다.

[그림 / 큰북] 을 둥둥 치다.

들판에 [연필깎이 / 나뭇더미] 가 있다.

여러 가지 [악기 / 채소] 를 골고루 먹어야 한다.

[미술관 / 동물원] 에서 미술 작품을 구경했다.

*'당나귀'는 '말과 비슷한데 말보다 몸이 작고 귀가 긴 동물'을, '큰북'은 '땅에 놓거나 받쳐 놓고 북채로 두드려 소리를 내는 악기'를, '나뭇더미'는 '나무 토막을 많이 쌓아 놓은 것'을, '채소'는 '밭에서 기른 먹을 수 있는 식물'을 뜻해요.

수학 그림을 보고, ?에 들어갈 알맞은 낱말을 찾아 선으로 이으세요.

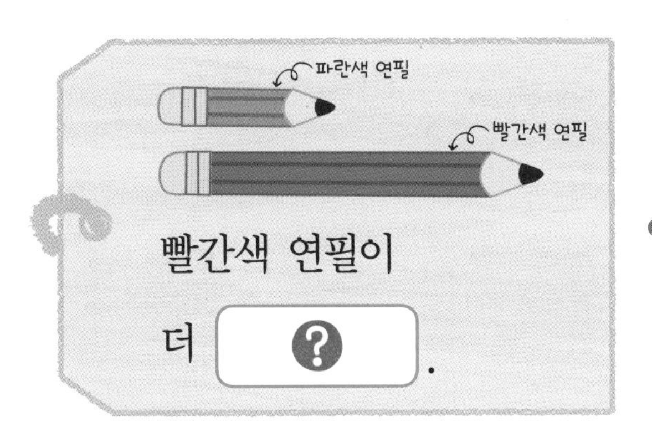

• 짧다
• 길다

• 크다
• 작다

• 많다
• 적다

• 무겁다
• 가볍다

*'짧다'와 '길다', '작다'와 '크다', '적다'와 '많다', '가볍다'와 '무겁다'는 서로 반대되는 뜻을 가지고 있는 말로, 이런 관계에 있는 말을 '반의어'라고 해요.

1 주

통합교과 그림과 뜻을 보고, 알맞은 낱말을 보기 에서 찾아 빈칸에 쓰세요.

보기 색칠하다 수족관 청설모 심벌즈 철새 열매

색깔이 나게 칠을 하다. □□□□

식물에 있는 씨방이 자라서 생기는 것. □□

둥글넓적한 모양으로, 두 장을 맞부딪쳐 소리를 내는 쇠로 만든 악기. □□□

털은 회색이고, 다람쥐와 비슷하게 생긴 동물. □□□

계절에 따라 이리저리 옮겨 다니며 사는 새. □□

물속에 사는 여러 동물을 한곳에서 볼 수 있는 곳. □□□

*'씨방'은 '꽃 밑에 붙은 통통한 주머니 모양으로, 속에 자라면 씨가 되는 밑씨가 들어 있는 부분'이에요.

Q 글을 읽고, 그림에 알맞은 낱말을 찾아 ○ 하세요.

20○○년 ○○월 ○○일 ○요일 날씨:

오늘은 아주 바쁜 하루였다.

누나와 나는 (**미술관, 이젤**)에 가기 전에,

우리가 할 일을 모두 해야 했다.

누나는 누나가 (**가꾸는, 채색하는**) 꽃에 물을 주었고,

나는 내가 (**아픈, 기르는**) 햄스터에게 먹이를 주었다.

할 일을 마치고 즐거운 마음으로 미술관에 가서 멋진 그림을 보았다.

나는 기분이 무척 좋았다. 집에 돌아와서 누나와 나는 오늘의 기분을

피아노와 바이올린으로 (**연주했다, 그렸다**).

스스로 평가

빈 곳에 들어갈 낱말 찾기

낱말의 뜻풀이를 읽고, 빈칸에 들어갈 알맞은 낱말을 쓰세요.

뜻풀이

① 집에서 가까이에 두고 감정을 나누며 기르는 개, 고양이, 새와 같은 동물.

② 여러 가지 식물을 한곳에서 볼 수 있는 곳.

③ 나팔, 바이올린과 같이 음악을 연주하는 데 쓰는 기구.

④ 그림 그리는 일을 하는 사람.

⑤ 병에 걸리거나 다친 동물을 진찰하고 병을 고쳐 주는 의사.

⑥ 꽃봉오리나 꽃잎 등이 넓게 펴져 활짝 벌어지다.

관심 있는 주제를 가운데 동그라미에 쓰고, 어휘들을
자유롭게 적으며 나만의 어휘 그물을 만들어 보세요.

내가 만드는 어휘 그물

1주

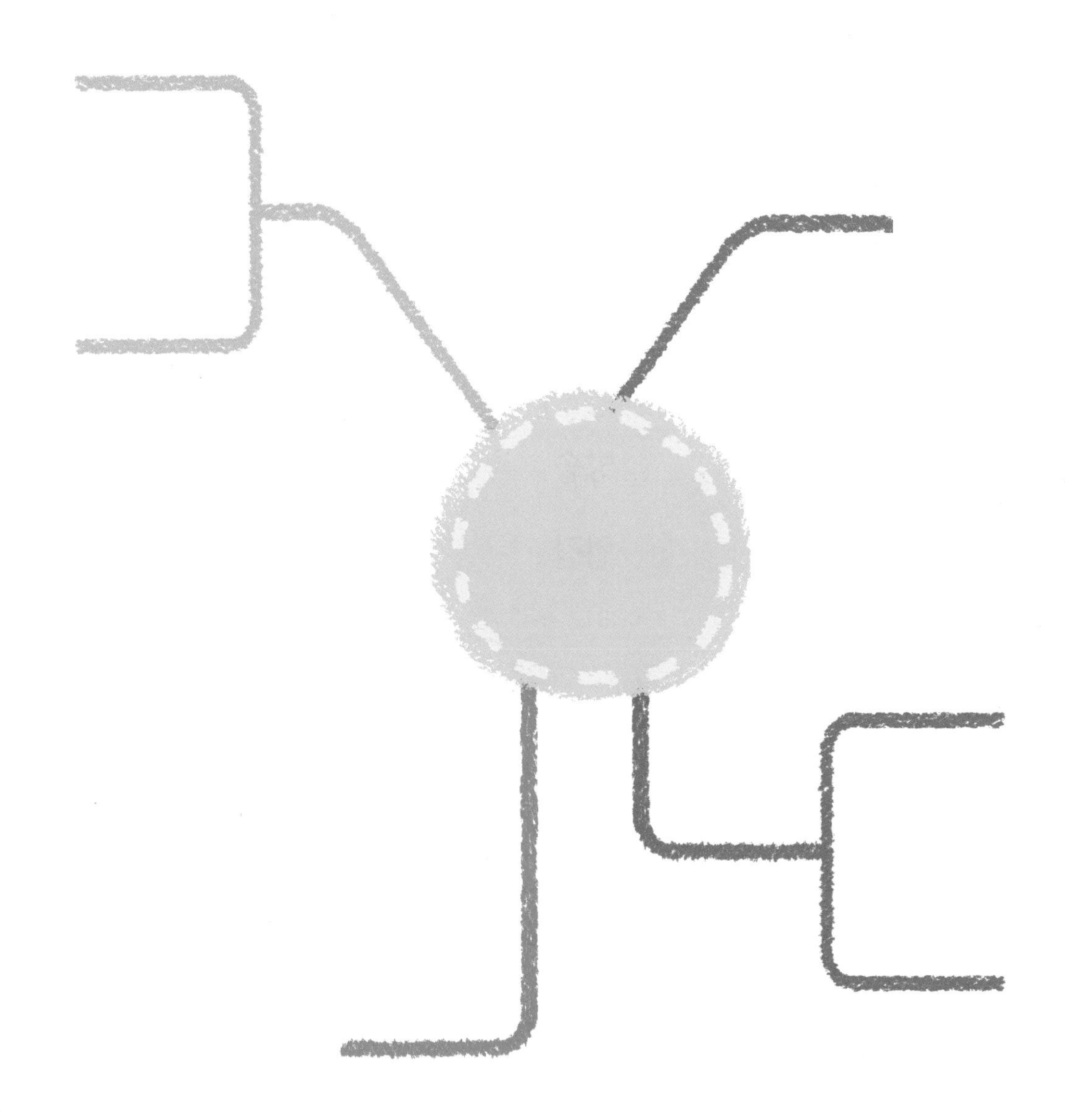

이번 주에 공부할 어휘들이에요.
어휘를 살펴보고,
알고 있는 어휘에 ✓를 하세요.
공부할 날짜를 쓰며
학습 계획도 세워 보세요.

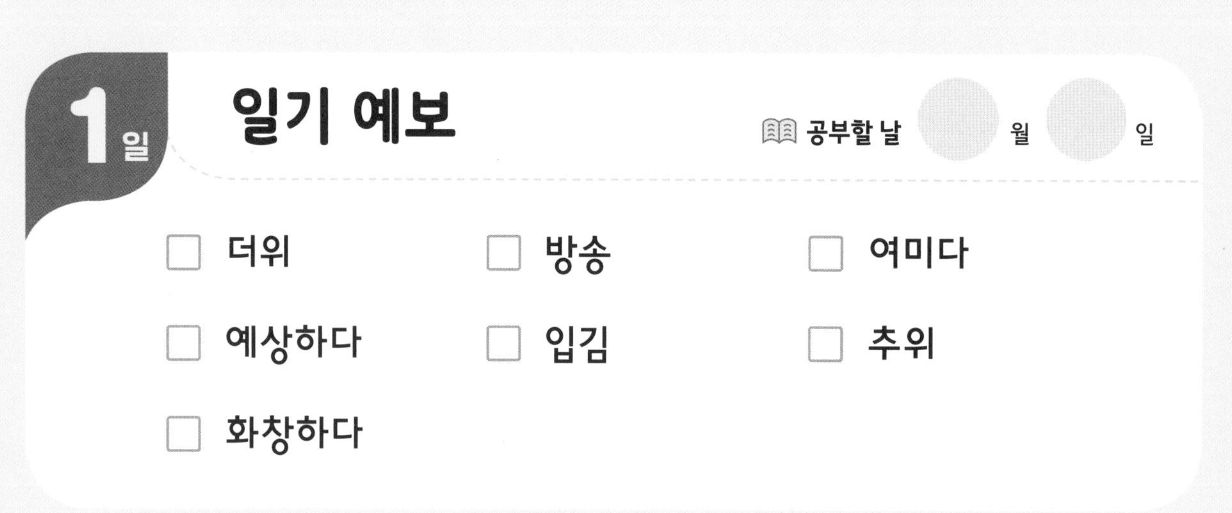

1일 일기 예보

공부할 날 ( )월 ( )일

- [ ] 더위
- [ ] 방송
- [ ] 여미다
- [ ] 예상하다
- [ ] 입김
- [ ] 추위
- [ ] 화창하다

2일 무더위

공부할 날 ( )월 ( )일

- [ ] 끈적이다
- [ ] 땀방울
- [ ] 배탈
- [ ] 부채질
- [ ] 뻘뻘
- [ ] 수영장
- [ ] 에어컨

3일 바다

공부할 날 월 일

- ☐ 갈매기
- ☐ 끼룩끼룩
- ☐ 모래사장
- ☐ 섬
- ☐ 잔잔하다
- ☐ 파도
- ☐ 헤엄치다

4일 눈

공부할 날 월 일

- ☐ 굴리다
- ☐ 눈보라
- ☐ 눈송이
- ☐ 던지다
- ☐ 밟다
- ☐ 뽀드득
- ☐ 새하얗다

5일 어휘 복습

공부할 날 월 일

아는 어휘 개 / 모르는 어휘 개

어휘 그물

일기 예보

'일기 예보'와 관련 있는 어휘와 그 뜻을 소리 내어 읽고,
어휘 그물을 살펴보며 빈칸에 알맞은 낱말을 쓰세요.

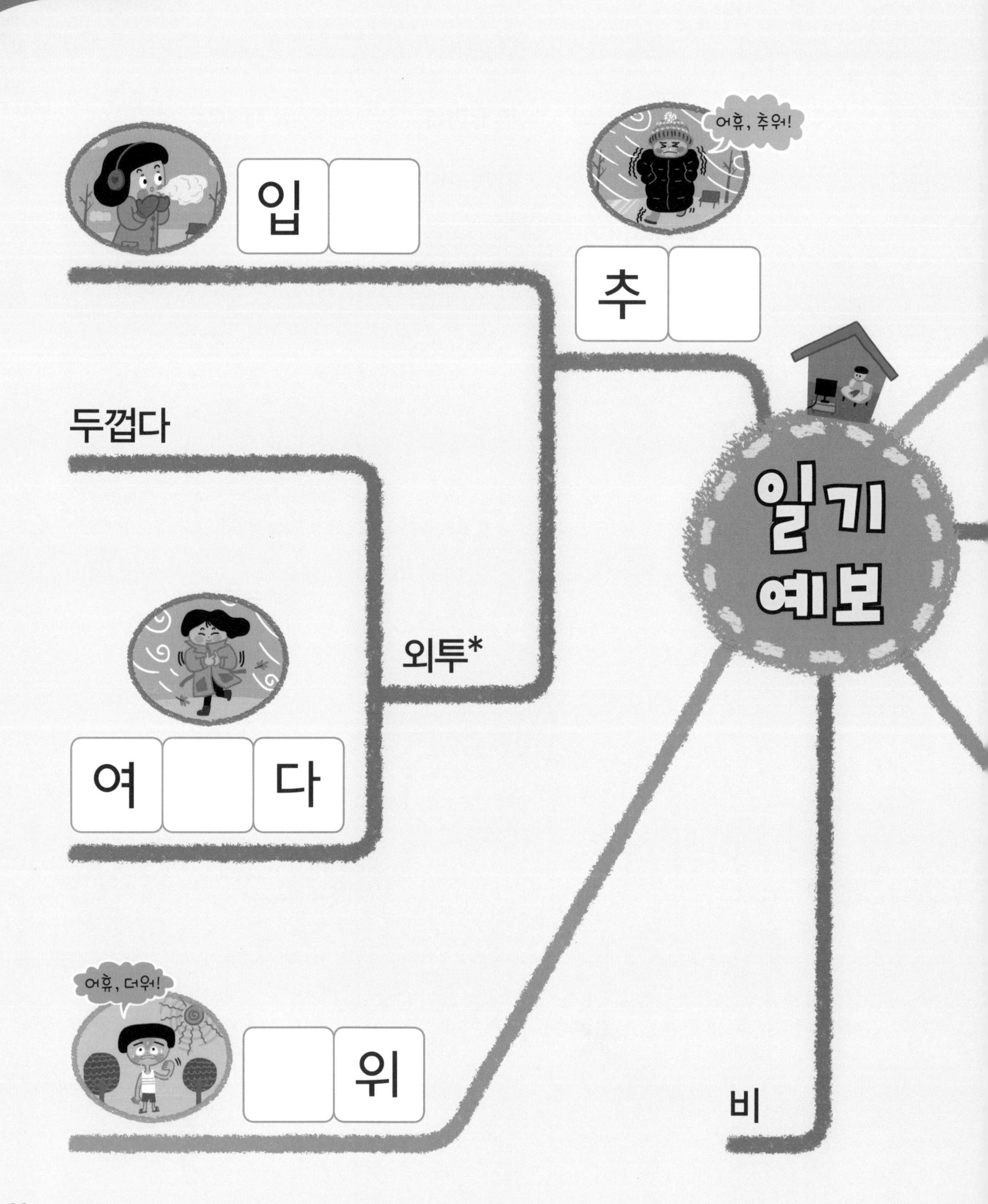

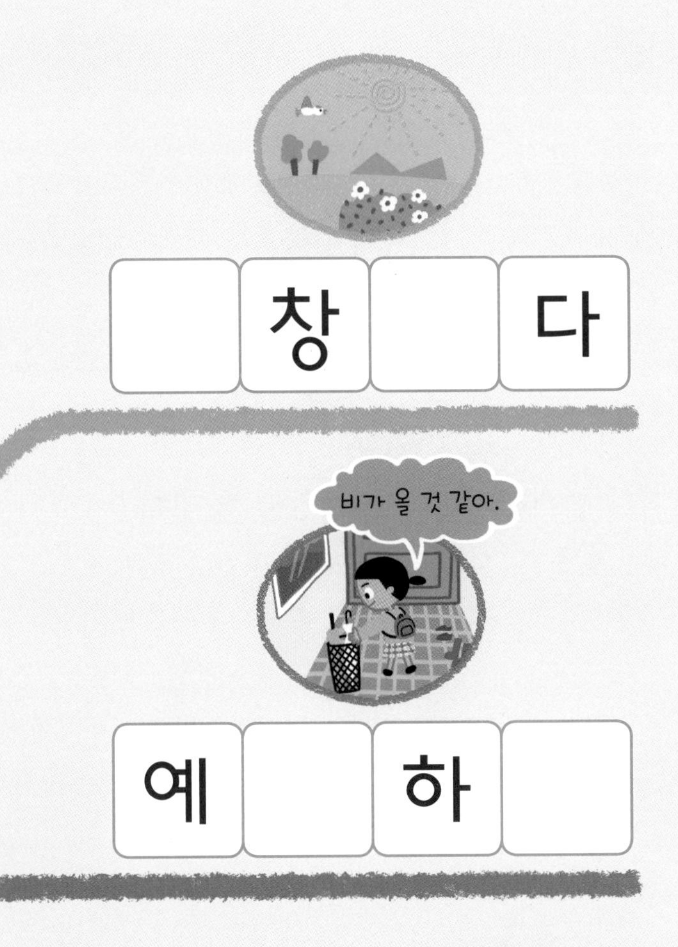

방

기상 캐스터*

예보하다*

*기상 캐스터: 라디오나 텔레비전 프로그램에서 날씨에 대해 설명하는 사람.
*예보하다: 앞으로 일어날 일을 미리 알리다.
*외투: 추울 때 입는 두툼한 겉옷.

어휘 읽기

더위
더운 기운.

방송
텔레비전이나 라디오로 그림과 소리를 보내서 여러 사람이 보고 들을 수 있게 하는 것.

여미다
벌어진 옷깃이나 옷자락을 모아 가다듬다.

예상하다
어떤 일이 일어날 것이라고 짐작하다.

입김
입에서 나오는 더운 김.

추위
추운 기운.

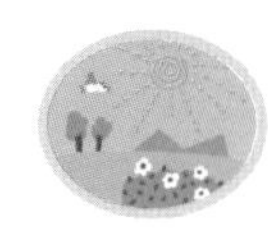

화창하다
날씨가 맑고 따뜻하다.

그림과 뜻을 보고, 알맞은 낱말을 찾아 그 칸을 색칠하세요.

입에서 나오는 더운 김.

입김	날씨

텔레비전이나 라디오로 그림과 소리를 보내서 여러 사람이 보고 들을 수 있게 하는 것.

방송	세배

더운 기운.

번개	더위

추운 기운.

예보	추위

그림을 보고, ?에 들어갈 알맞은 낱말을 찾아 선으로 이으세요.

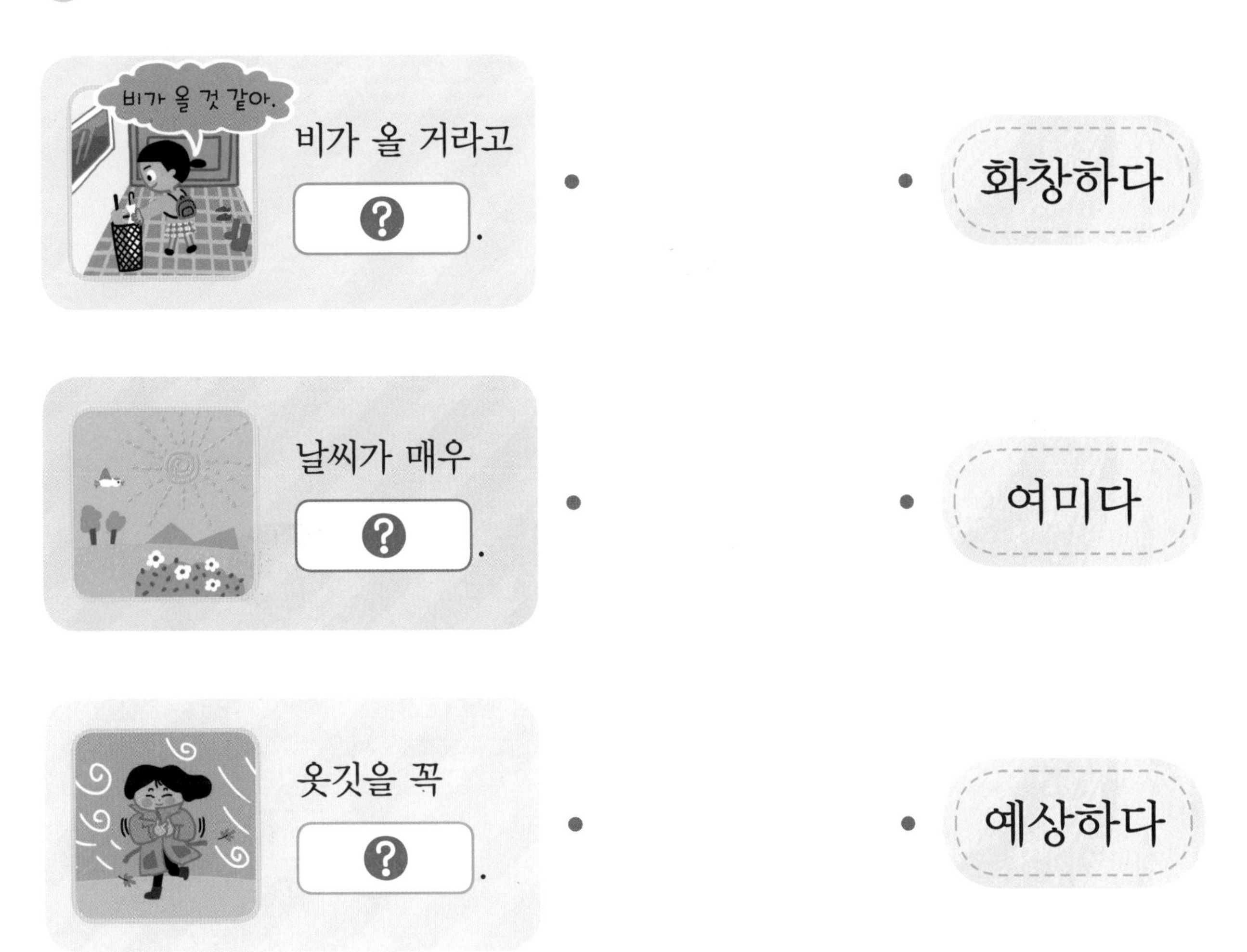

연상 어휘

그림을 보고, 떠오르는 낱말을 보기 에서 찾아 빈칸에 쓰세요.

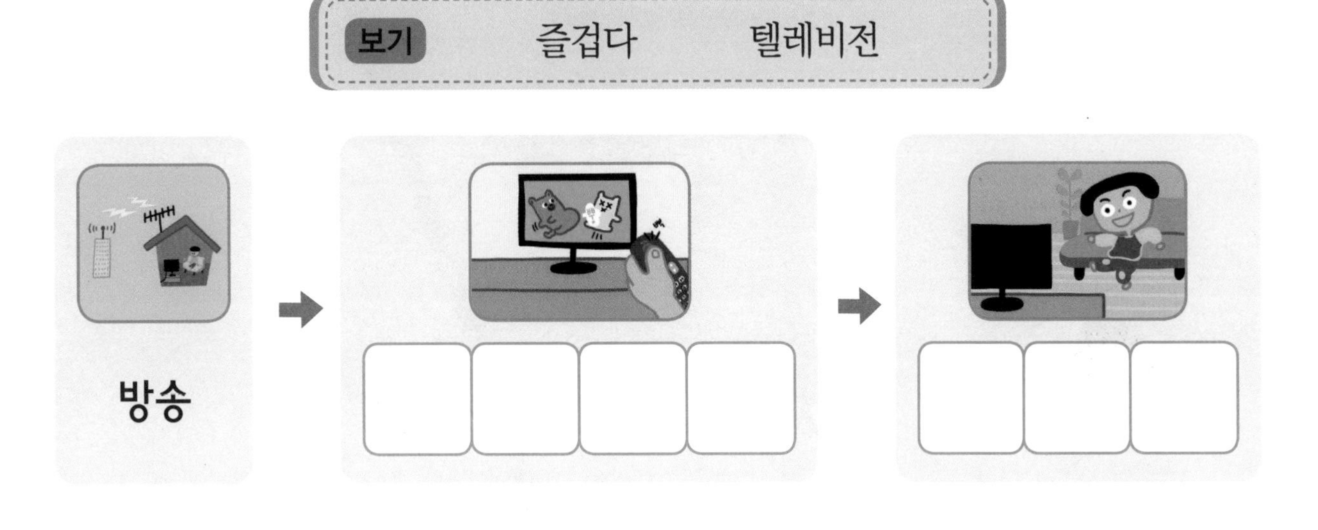

2주

스스로 평가

무더위

'무더위'와 관련 있는 어휘와 그 뜻을 소리 내어 읽고,
어휘 그물을 살펴보며 빈칸에 알맞은 낱말을 쓰세요.

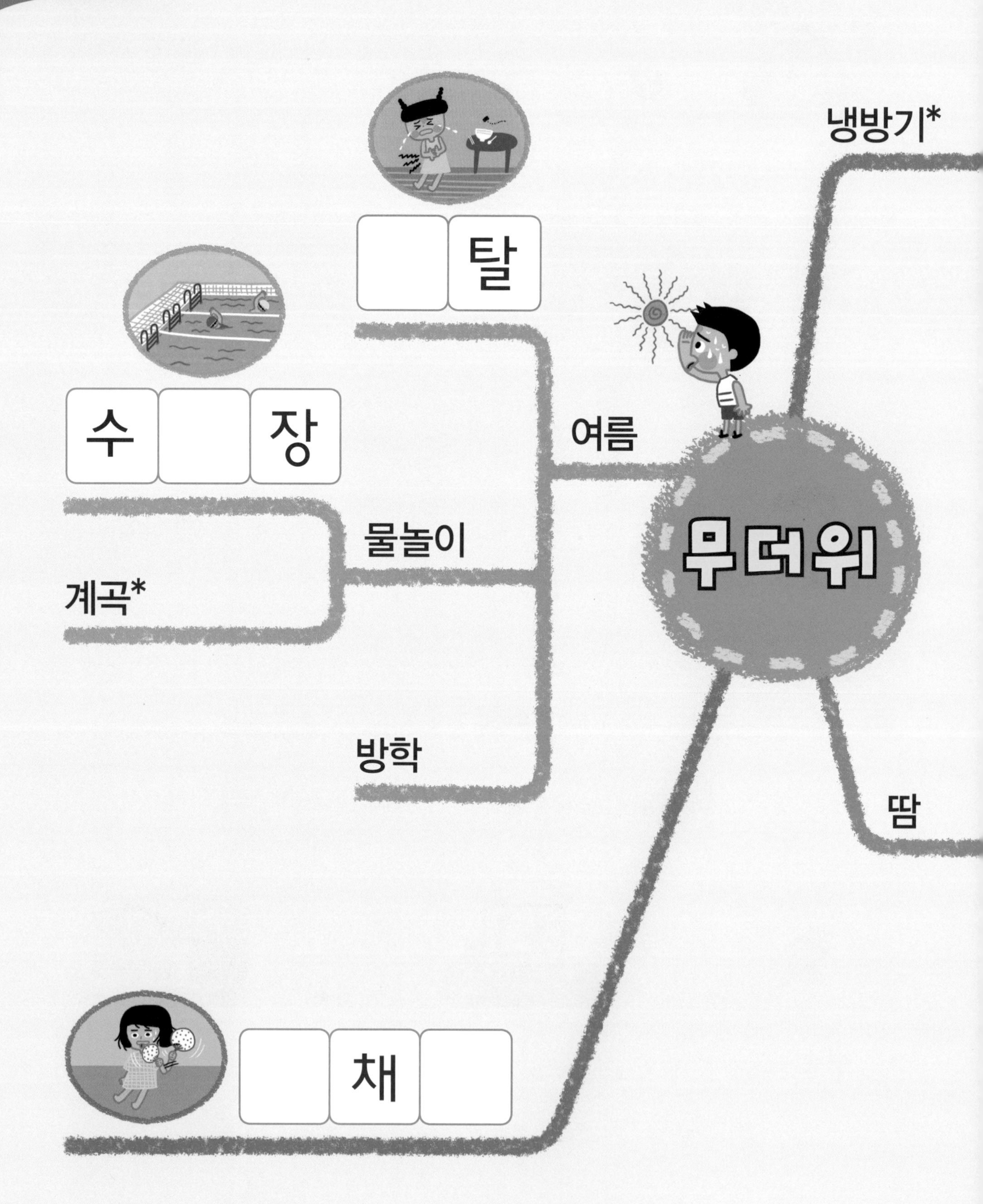

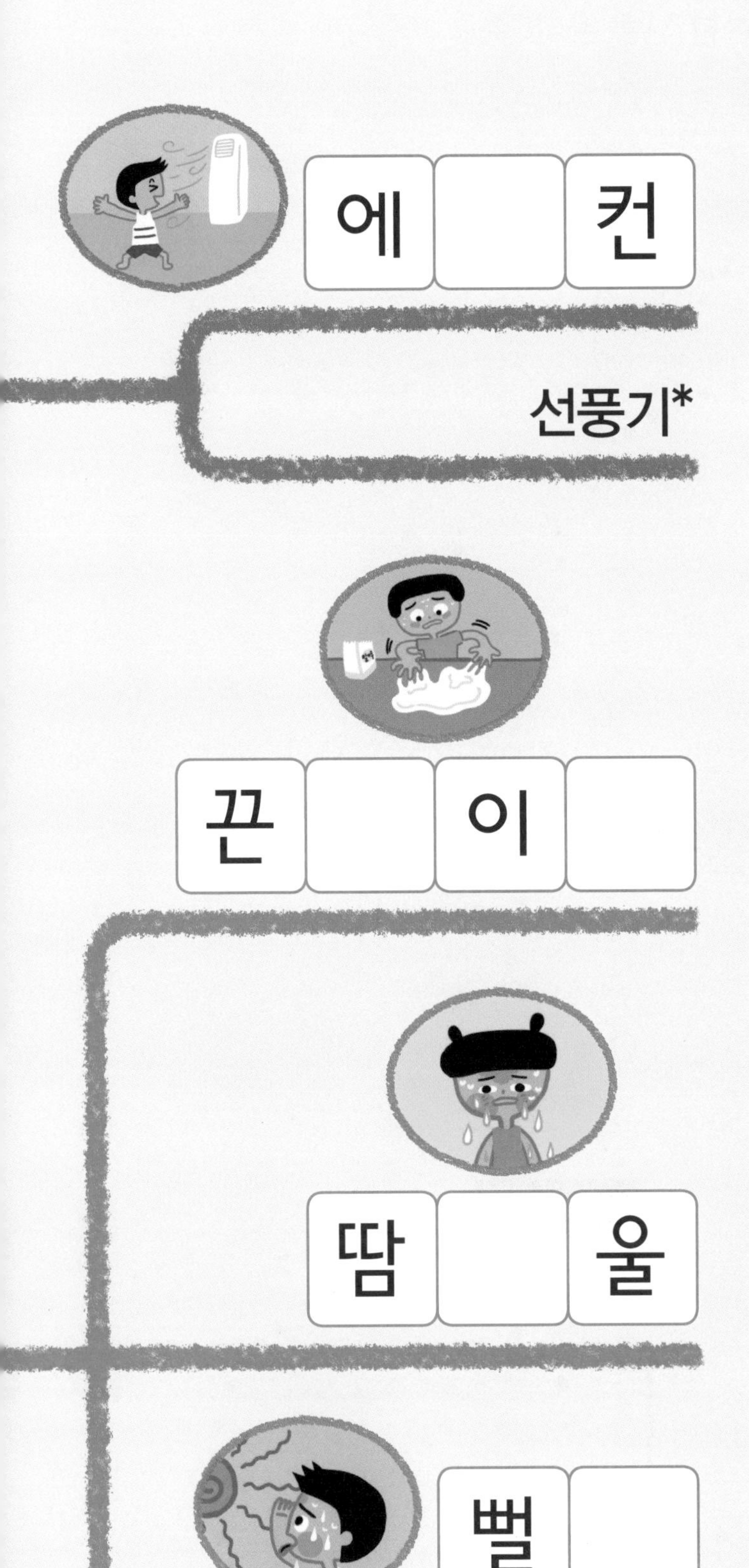

*계곡: 산과 산 사이에 움푹 들어가 물이 흐르는 곳.
*냉방기: 실내의 온도를 낮추어 공기를 차갑게 하는 장치.
*선풍기: 날개가 돌면서 바람을 일으키는 기구.

어휘 읽기

끈적이다
끈끈한 것이 척척
들러붙는다.

땀방울
땀이 물방울처럼 맺힌 것.

배탈
체하거나 설사하는 것처럼
배 속에 생기는 병.

부채질
부채를 흔들어서 바람을
일으키는 것.

뻘뻘
땀을 매우 많이 흘리는 모양.

수영장
수영을 할 수 있게 꾸며
놓은 곳.

에어컨
여름에 방이나 건물 안
온도를 낮추는 장치.

뜻을 읽고, 알맞은 낱말을 찾아 ○ 하며 길을 따라 줄을 그으세요.

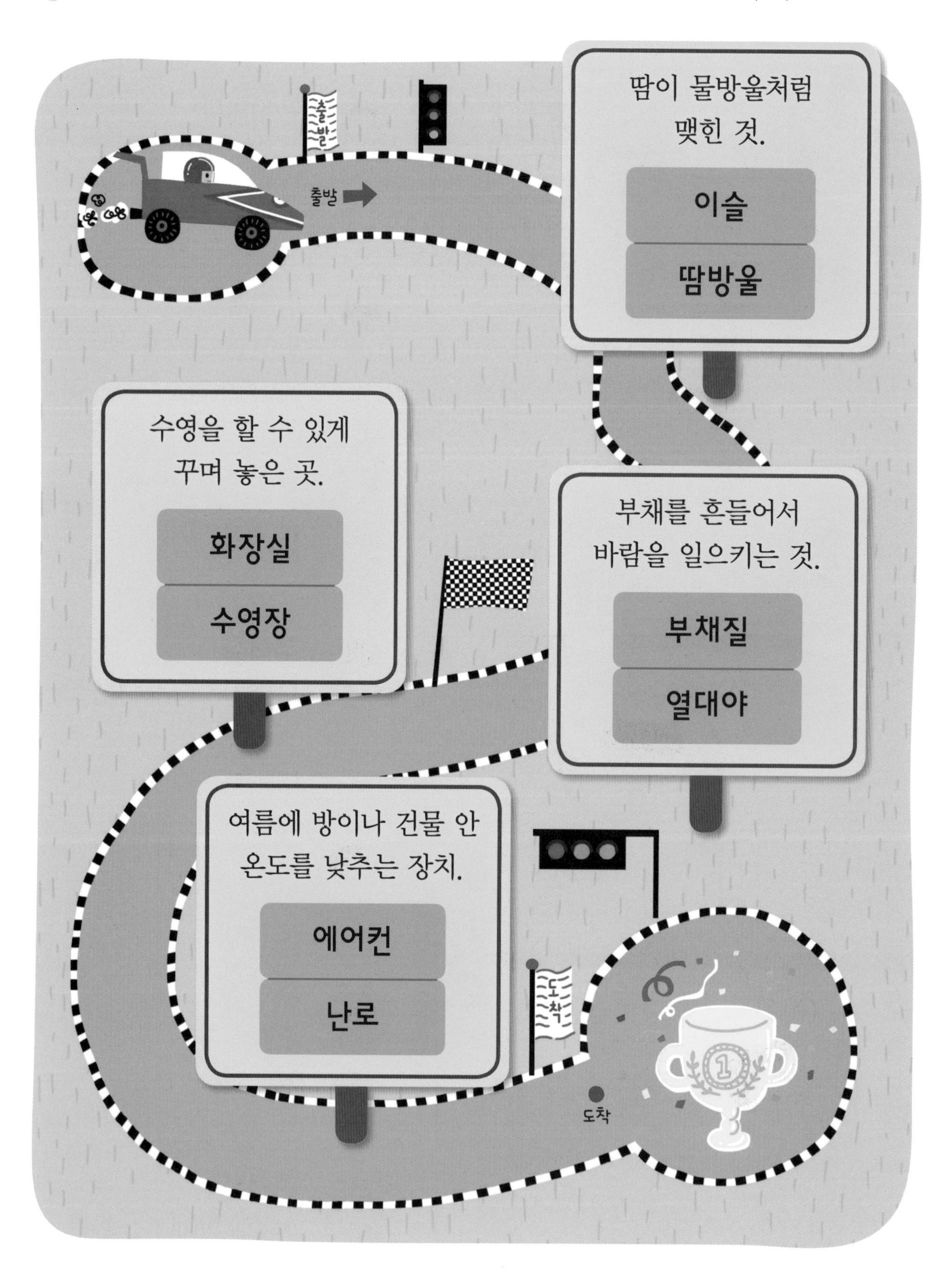

그림을 보고, ?에 들어갈 알맞은 낱말을 찾아 그 칸을 색칠하세요.

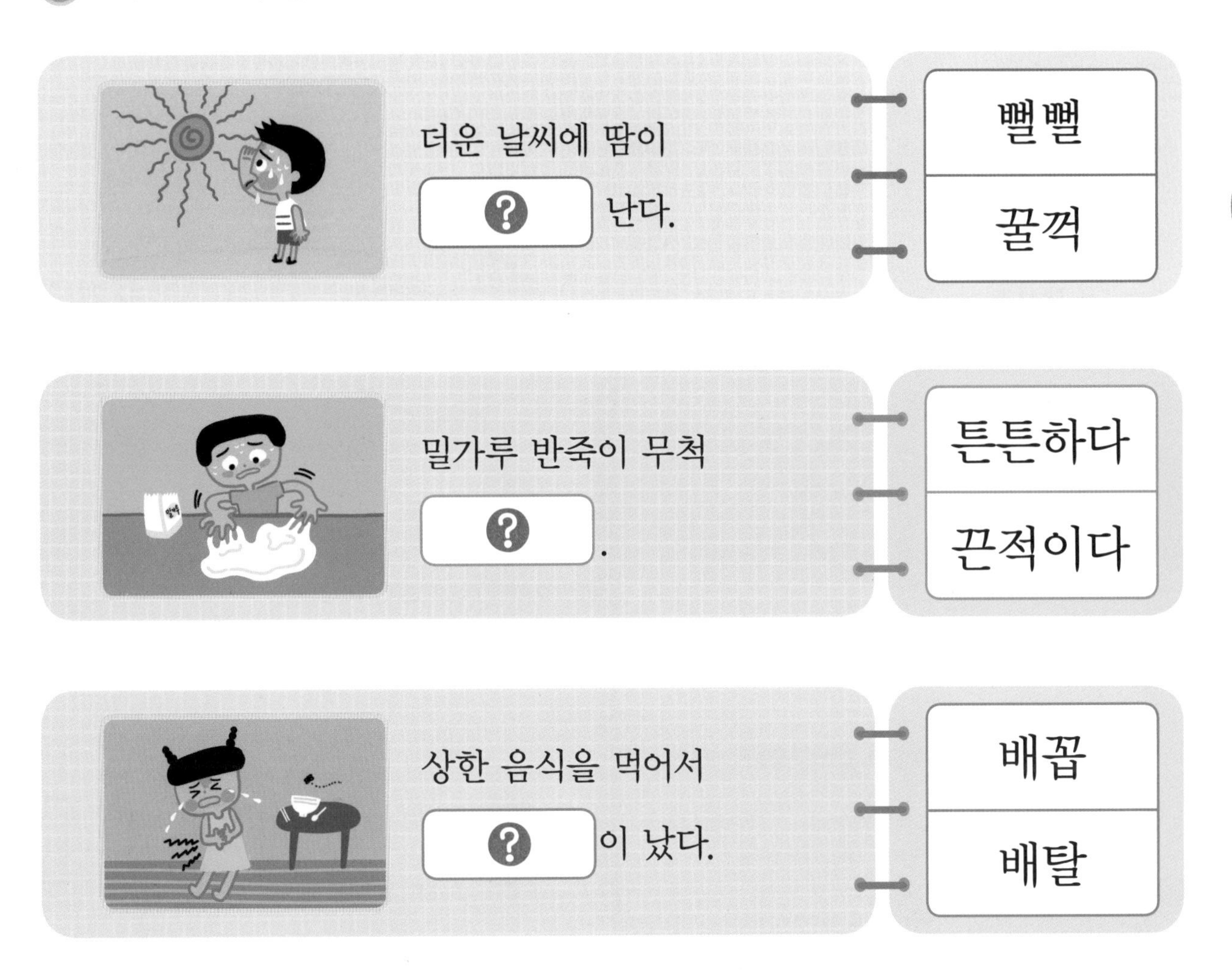

유의어

그림과 낱말을 보고, 비슷한말을 보기에서 찾아 빈칸에 쓰세요.

보기	배앓이	구슬땀

스스로 평가

어휘 그물

3일 바다

'바다'와 관련 있는 어휘와 그 뜻을 소리 내어 읽고, 어휘 그물을 살펴보며 빈칸에 알맞은 낱말을 쓰세요.

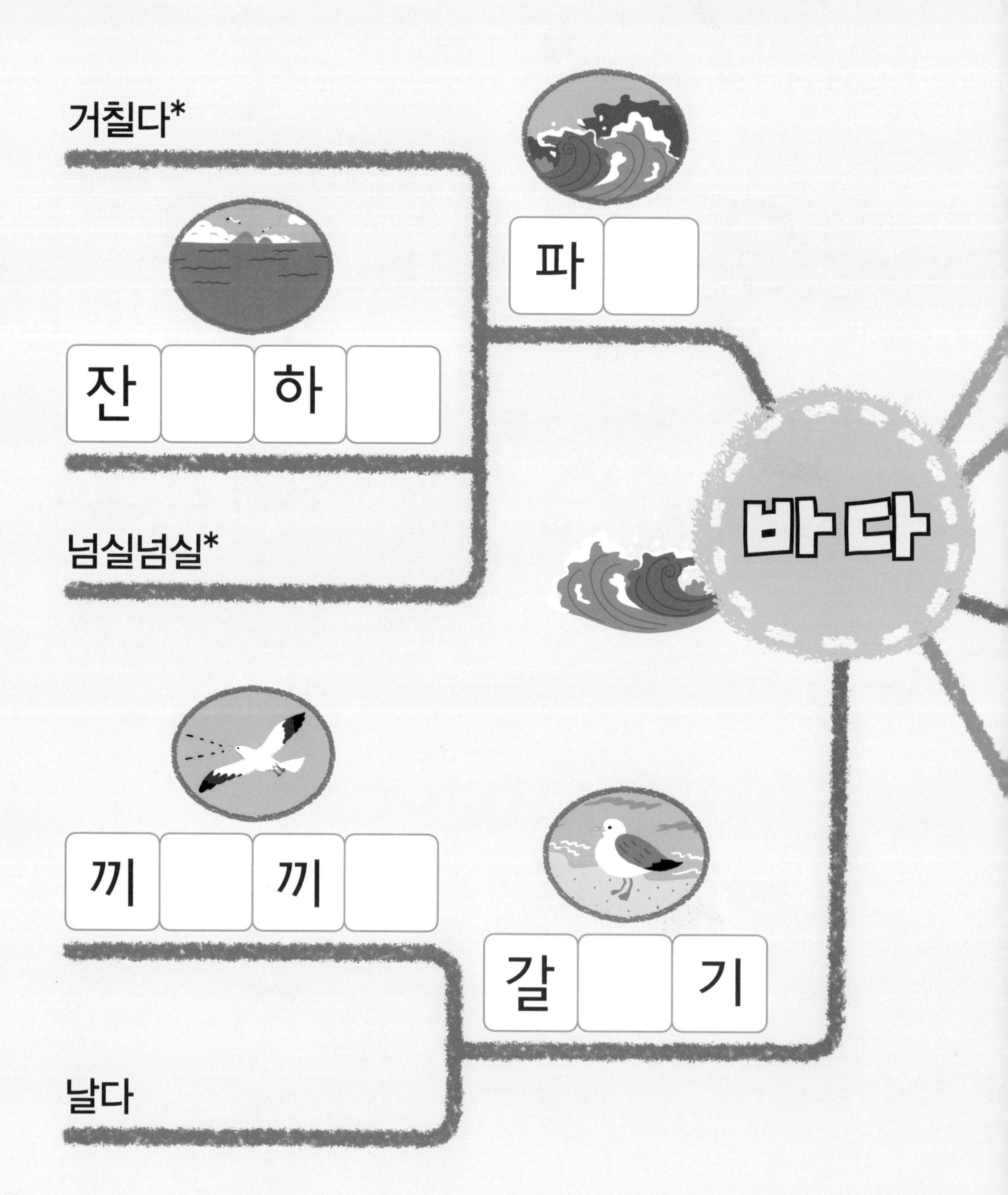

물고기

헤		치	

모		사	

*거칠다: 숨, 바람, 물결 같은 것이 거세다.
*넘실넘실: 물결이 부드럽게 자꾸 구불구불 움직이는 모양.

어휘 읽기

갈매기
바닷가나 항구에 살며 헤엄을 잘 치고 물고기를 잡아먹는 새.

끼룩끼룩
기러기나 갈매기 같은 새가 우는 소리.

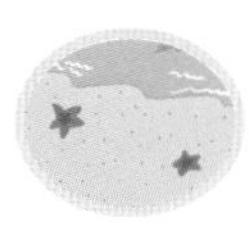

모래사장
모래가 깔린 넓은 땅. 모래밭.

섬
둘레가 바닷물이나 강물로 둘러싸인 땅.

잔잔하다
바람이나 물결 같은 것이 일지 않아 잠잠하다.

파도
바다에 이는 물결.

헤엄치다
물속에서 나아가려고 팔다리나 지느러미를 움직이다.

그림과 낱말을 보고, 알맞은 뜻을 찾아 선으로 이으세요.

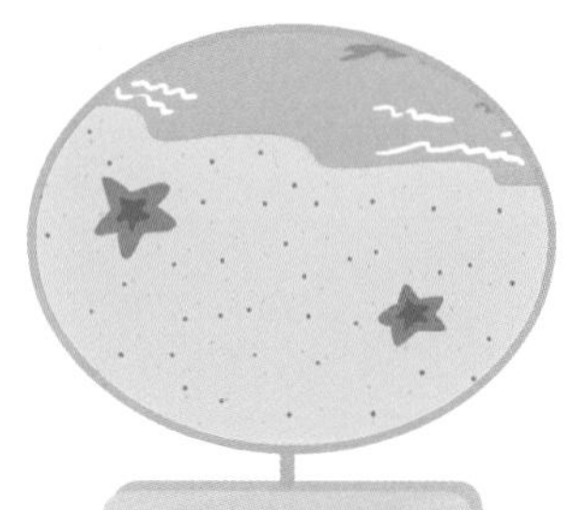

모래사장

갈매기

섬

파도

- 바다에 이는 물결.
- 바닷가나 항구에 살며 헤엄을 잘 치고 물고기를 잡아먹는 새.
- 모래가 깔린 넓은 땅. 모래밭.
- 둘레가 바닷물이나 강물로 둘러싸인 땅.

그림을 보고, 알맞은 낱말을 찾아 흐린 글자를 따라 쓰세요.

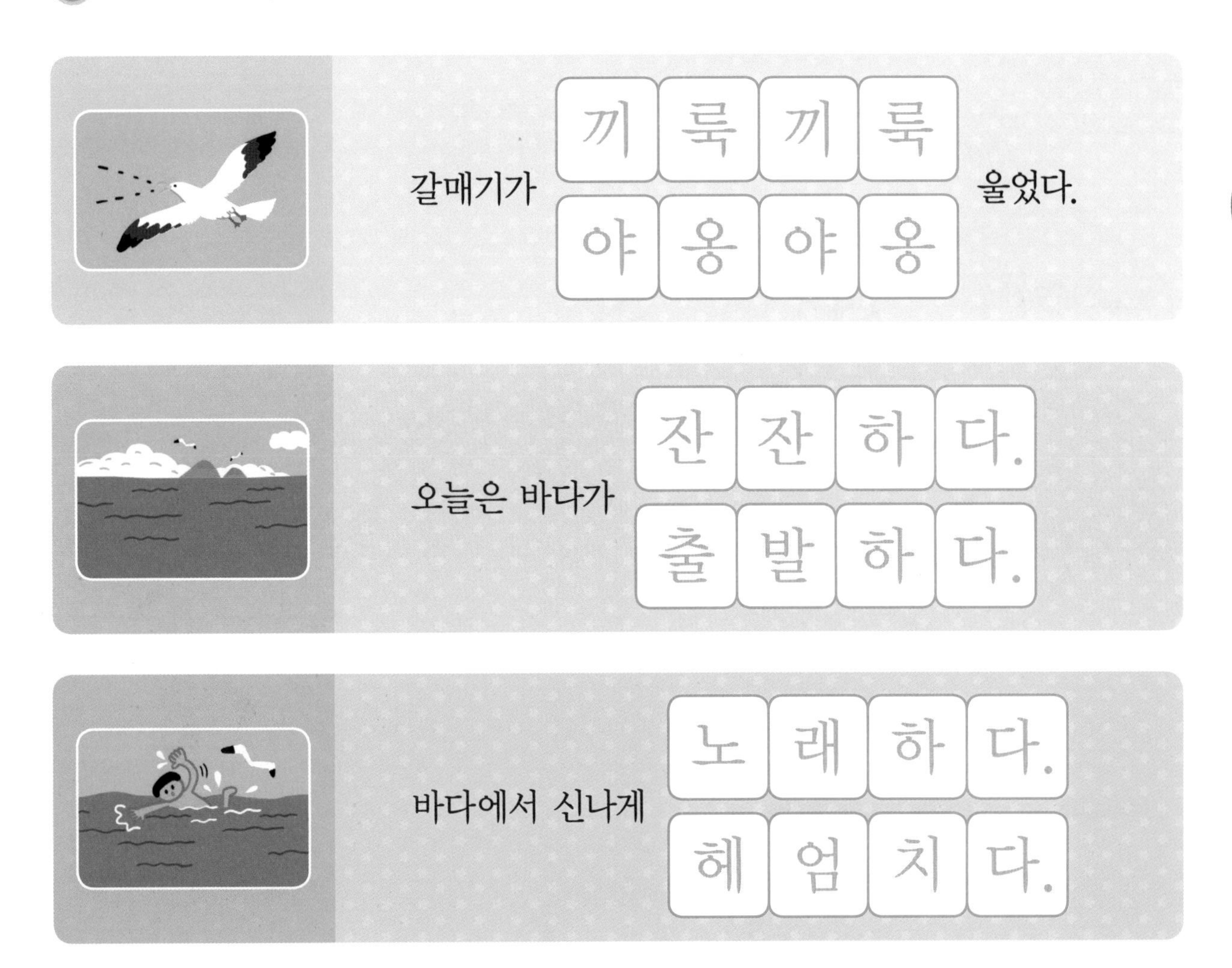

유의어

그림과 낱말을 보고, 비슷한말을 보기 에서 찾아 빈칸에 쓰세요.

보기 물결 수영하다

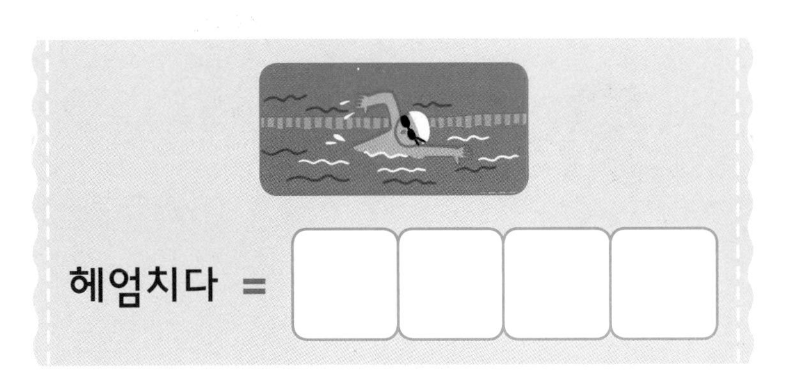

2 주

스스로 평가

눈

'눈'과 관련 있는 어휘와 그 뜻을 소리 내어 읽고, 어휘 그물을 살펴보며 빈칸에 알맞은 낱말을 쓰세요.

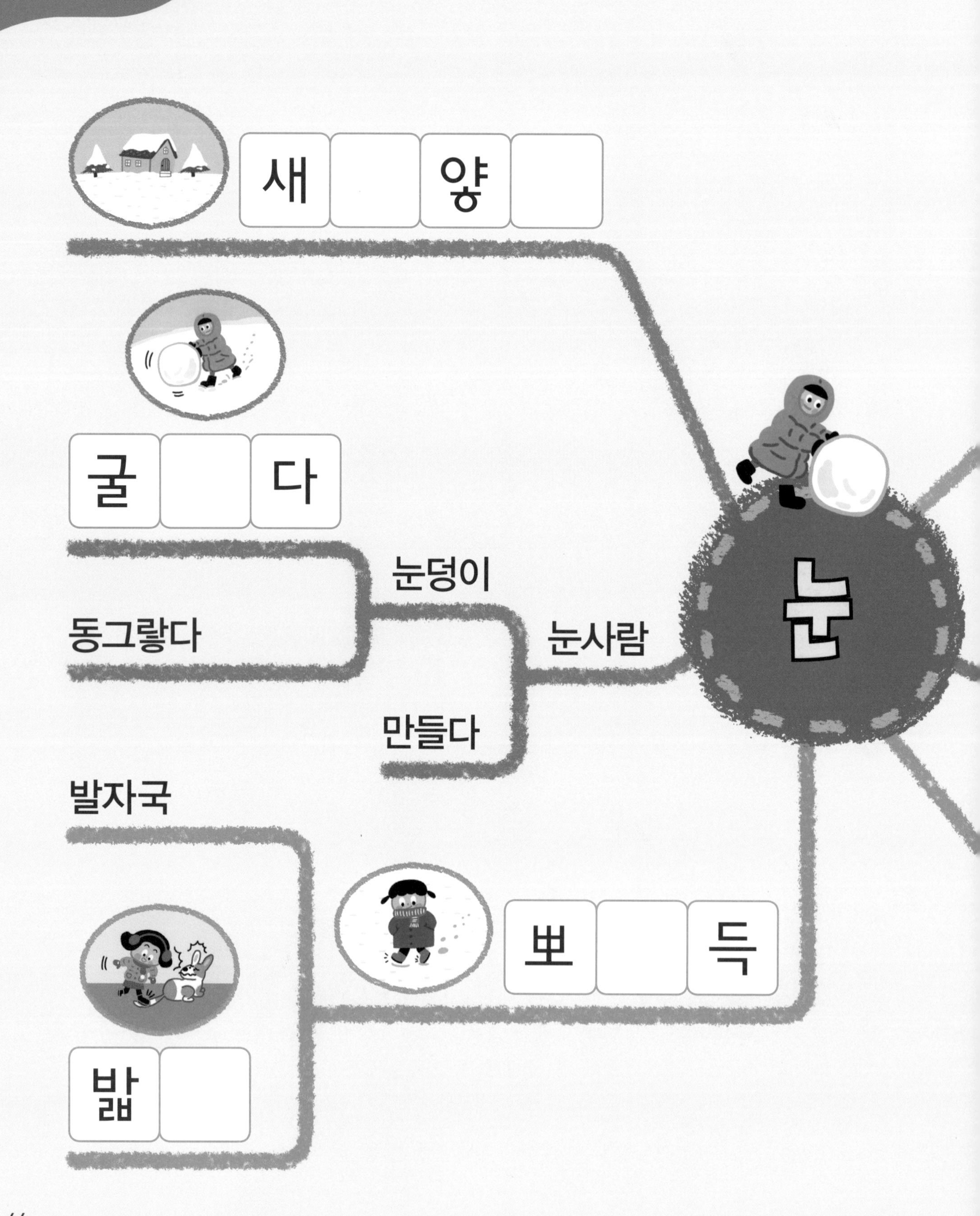

눈 뭉치*

눈싸움

던 다

*눈 뭉치: 눈으로 둥글게 뭉쳐 놓은 덩어리.

어휘 읽기

굴리다
물건을 구르게 하다.

눈보라
세찬 바람에 날리는 눈.

눈송이
굵게 엉겨서 꽃송이처럼 내리는 눈.

던지다
팔과 손목을 움직여 손에 든 것을 멀리 보내다.

밟다
발을 들었다 놓으면서 누르다.

뽀드득
쌓인 눈을 조금 세게 밟을 때 나는 소리.

새하얗다
아주 하얗다.

4일 어휘 학습

그림과 낱말을 보고, 알맞은 뜻을 찾아 줄을 그으세요.

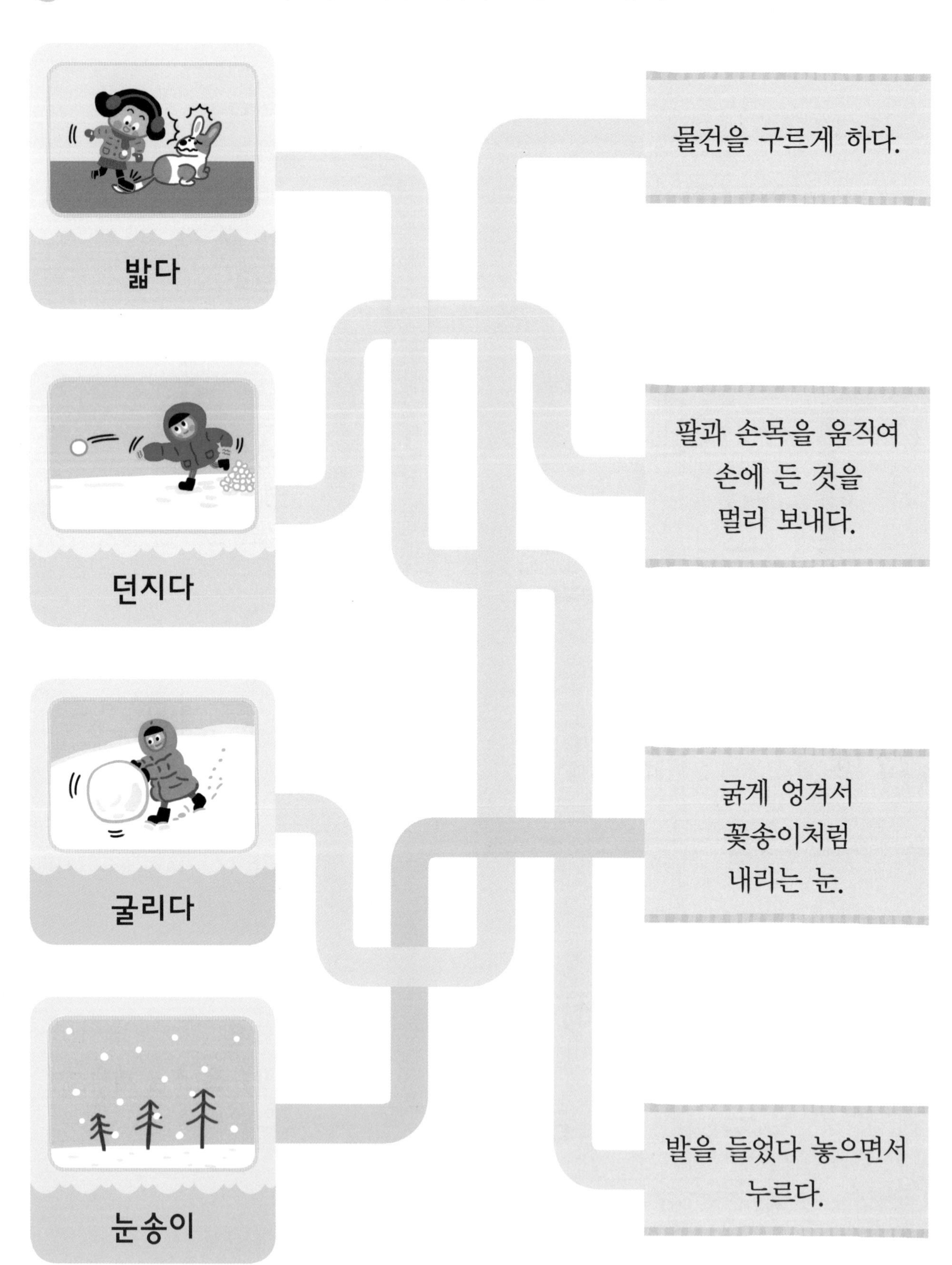

그림을 보고, 알맞은 낱말을 찾아 ○ 하세요.

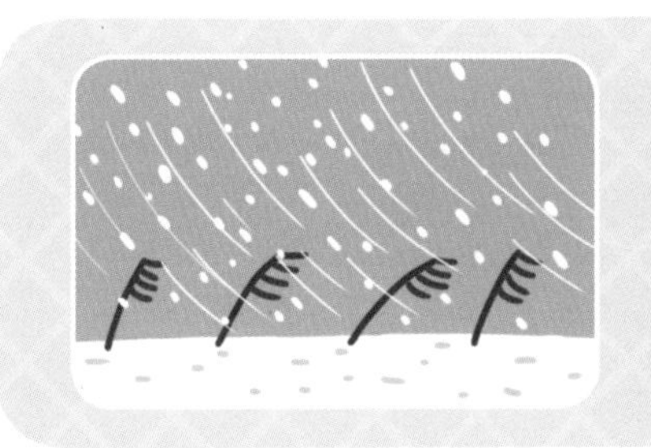

쌩쌩 [파도 / 눈보라] 가 친다.

눈이 내려 온 세상이 [새하얗다. /샛노랗다.]

눈 위를 걸었더니 [꿀떡꿀떡 / 뽀드득] 소리가 났다.

반의어

그림과 낱말을 보고, 반대말을 보기 에서 찾아 빈칸에 쓰세요.

보기 새까맣다 받다

던지다 ↕ □□

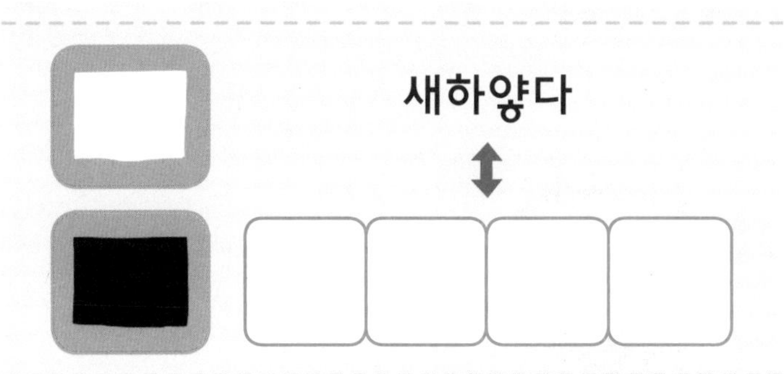

새하얗다 ↕ □□□□

스스로 평가

국어 그림을 보고, 알맞은 낱말을 찾아 ○ 하세요.

햇살이 꽃을 환하게 날리다. / 비추다.

언 손을 녹이느라 입김 / 휘파람 을 훅 불었다.

아저씨가 낚싯대를 힘껏 부러뜨리다. / 잡아당기다.

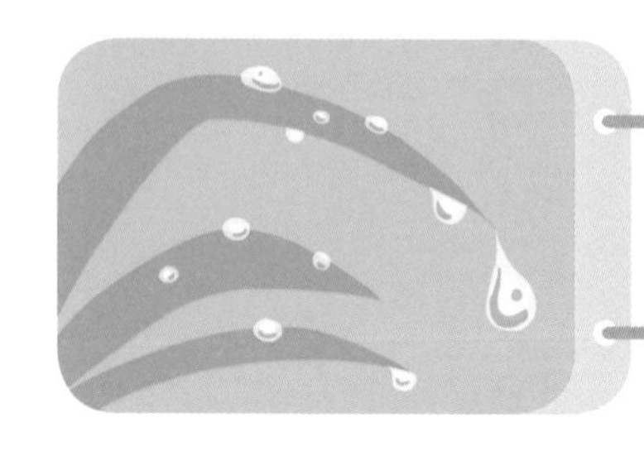

풀잎에 대롱대롱 구슬 / 이슬 이 맺혔다.

갑자기 소낙비 / 눈보라 가 쏟아지다.

잡은 물고기를 보자기 / 항아리 에 담아 놓다.

*'비추다'는 '빛을 내는 것이 다른 것에 빛을 보내어 밝게 하다'를, '이슬'은 '공기 중의 아주 작은 물방울이 엉겨서 생기는 물방울'을, '소낙비'는 '갑자기 세차게 쏟아지다가 곧 그치는 비'를, '항아리'는 '진흙으로 아래위가 좁고 배가 부른 모양으로 만든 그릇'을 뜻해요.

수학 그림을 보고, ?에 들어갈 알맞은 낱말을 찾아 선으로 이으세요.

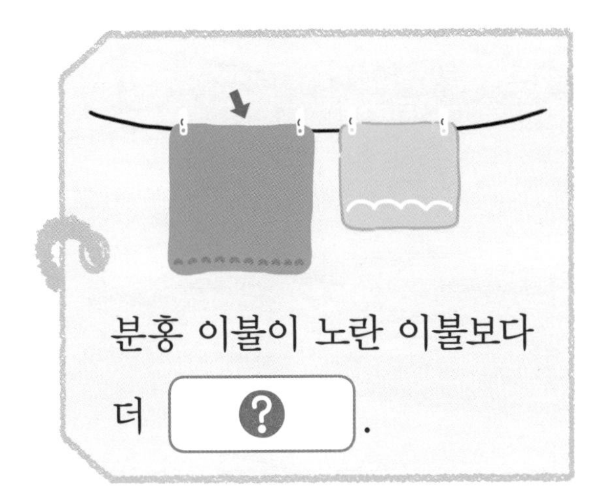

- 넓다
- 좁다

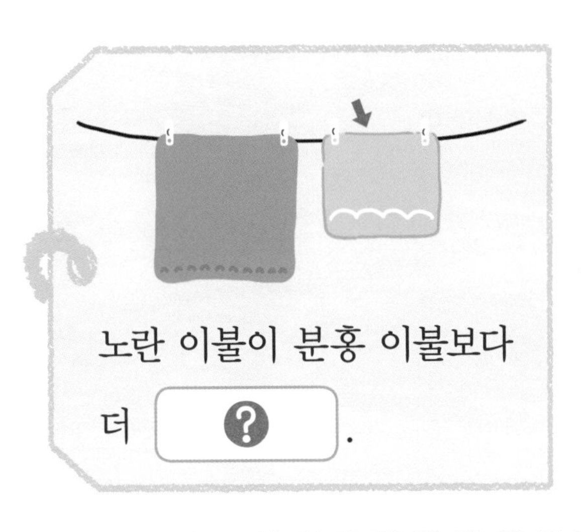

- 넓다
- 좁다

- 태워
- 맞대어

*'맞대다'는 '서로 마주 닿게 하다'를 뜻해요.

통합교과 그림과 뜻을 보고, 알맞은 낱말을 보기 에서 찾아 빈칸에 쓰세요.

보기 포옹 땀방울 모종삽 완성하다 망설이다 악수

어린 식물을 옮겨 심을 때에 쓰는 작은 삽. □□□

사람을 또는 사람끼리 품에 껴안음. □□

땀이 물방울처럼 맺힌 것. □□□

갈까? 말까?

이리저리 생각만 하고 태도를 정하지 못하다. □□□□

블록 성, 완성!

완전히 다 이루다. □□□□

두 사람이 각자 한 손을 마주 내어 잡는 일. □□

Q 글을 읽고, 알맞은 낱말을 찾아 ○ 하세요.

할아버지, 할머니께

안녕하세요? 저 세아예요.

이번 여름 방학을 할아버지, 할머니랑 같이 보내서

정말 즐거웠어요.

바닷가 **(빙판, 모래사장)**에서 모래성 쌓기도 재미있었고,

어푸어푸 **(헤엄치기, 썰매 타기)**도 신났어요.

바닷바람이 **(난로, 에어컨)**보다도 더 시원했답니다.

겨울 방학에도 우리 함께 놀아요.

눈을 **(터뜨려서, 굴려서)** 눈사람도 만들고,

눈싸움도 해요.

그동안 건강히 계세요.

세아 올림.

2 주

스스로 평가  

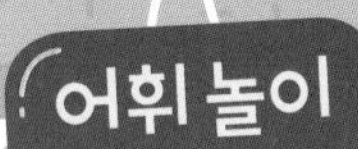

빙고를 외쳐라!

날말의 뜻풀이 를 읽고, 알맞은 낱말을 찾아 그 칸을 색칠하세요.
색칠된 칸이 가로나 세로, 대각선으로 4칸 이어지면 "빙고!"라고 외치세요.

뜻풀이

- 세찬 바람에 날리는 눈.
- 끈끈한 것이 척척 들러붙는다.
- 발을 들었다 놓으면서 누르다.
- 날씨가 맑고 따뜻하다.
- 바다에 이는 물결.
- 입에서 나오는 더운 김.
- 부채를 흔들어서 바람을 일으키는 것.
- 땀이 물방울처럼 맺힌 것.
- 기러기나 갈매기 같은 새가 우는 소리.
- 수영을 할 수 있게 꾸며 놓은 곳.

눈보라	섬	파도	끼룩끼룩
여미다	화창하다	눈송이	밟다
부채질	뽀드득	수영장	방송
입김	끈적이다	잔잔하다	땀방울

관심 있는 주제를 가운데 동그라미에 쓰고, 어휘들을 자유롭게 적으며 나만의 어휘 그물을 만들어 보세요.

내가 만드는 어휘 그물

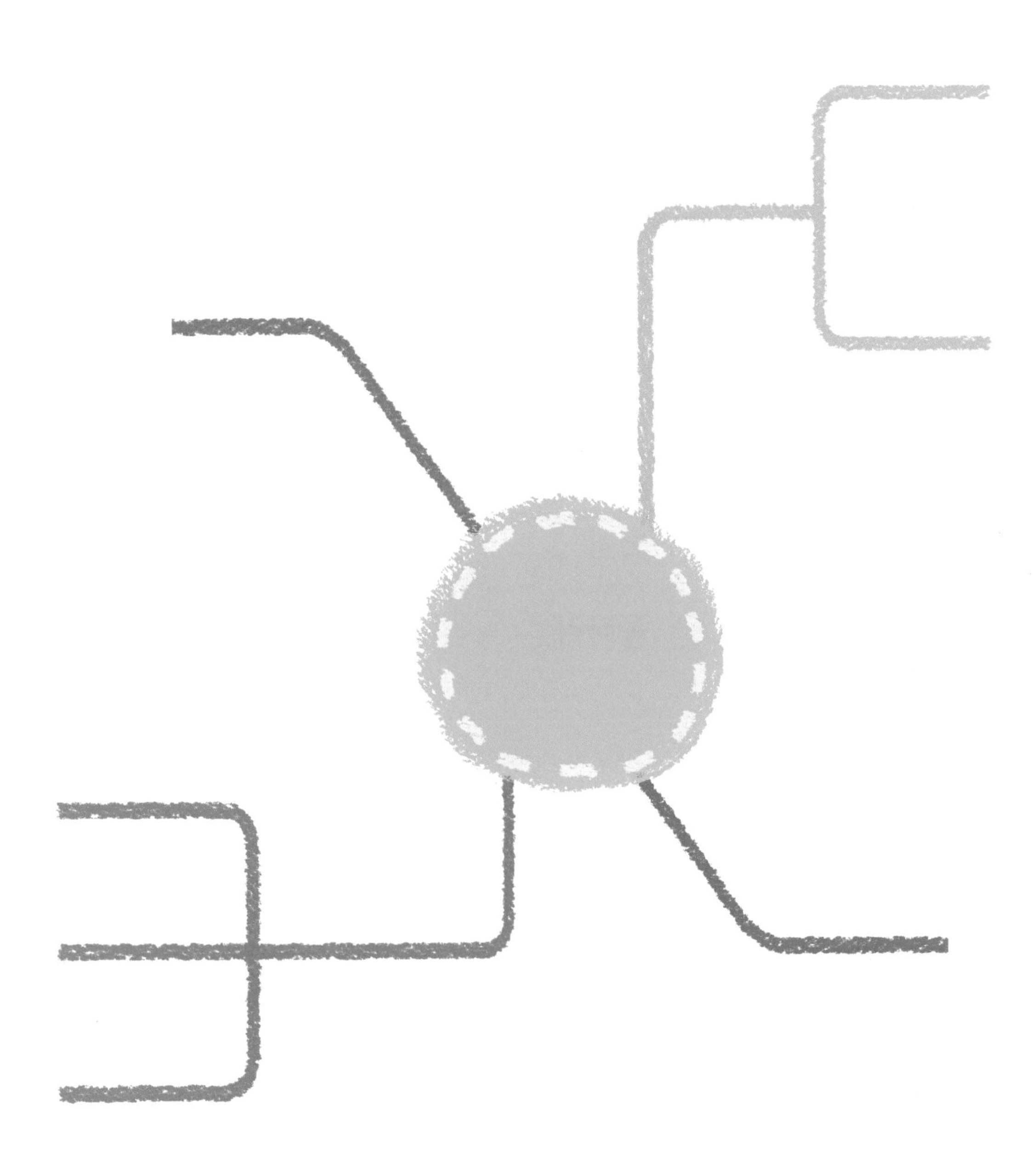

주

이번 주에 공부할 어휘들이에요.
어휘를 살펴보고,
알고 있는 어휘에 ✓를 하세요.
공부할 날짜를 쓰며
학습 계획도 세워 보세요.

1일 농장

공부할 날 월 일

- ☐ 닭장
- ☐ 먹이
- ☐ 양치기
- ☐ 여물
- ☐ 울타리
- ☐ 쪼다
- ☐ 핥다

2일 농부

공부할 날 월 일

- ☐ 거두다
- ☐ 괭이
- ☐ 농산물
- ☐ 떼
- ☐ 알갱이
- ☐ 일손
- ☐ 풍성하다

3일 직업

공부할 날 월 일

- ☐ 거리
- ☐ 배달하다
- ☐ 뿌듯하다
- ☐ 사육사
- ☐ 청소
- ☐ 출근하다
- ☐ 환경미화원

4일 이웃

공부할 날 월 일

- ☐ 동네
- ☐ 모임
- ☐ 반상회
- ☐ 시끄럽다
- ☐ 이사
- ☐ 층간 소음
- ☐ 친구

5일 어휘 복습

공부할 날 월 일

아는 어휘 개 / 모르는 어휘 개

어휘 그물

1일

농장

'농장'과 관련 있는 어휘와 그 뜻을 소리 내어 읽고, 어휘 그물을 살펴보며 빈칸에 알맞은 낱말을 쓰세요.

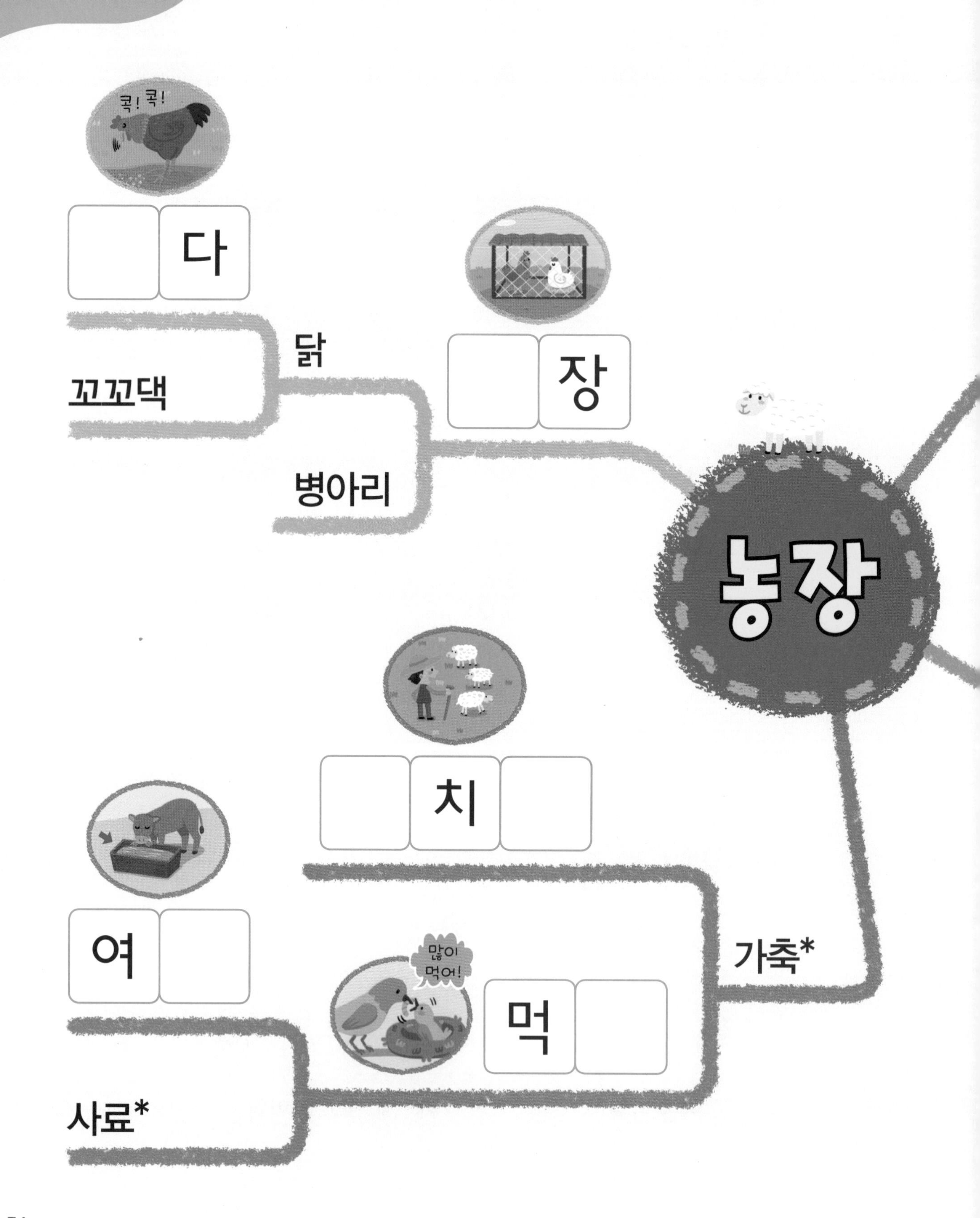

울

외양간

망아지

송아지

경중경중

할

*가축: 집에서 기르는 짐승.
*사료: 가축에게 주는 먹을거리.

어휘 읽기

닭장
닭을 가두어 기르는 우리.

먹이
동물이 살아가기 위하여 먹는 모든 것.

양치기
양을 치는 사람. 또는 양을 치는 일.

여물
말이나 소가 먹도록 짚이나 풀을 말려서 잘게 썰어 만든 먹이.

울타리
나무, 풀 등을 엮어서 집이나 밭 둘레에 친 작은 담장.

쪼다
새가 부리로 먹이나 나무를 찍다.

핥다
혀를 대고 스치게 하거나 문지르다.

1일 어휘 학습

그림과 뜻을 보고, 알맞은 낱말을 찾아 그 칸을 색칠하세요.

나무, 풀 등을 엮어서 집이나 밭 둘레에 친 작은 담장.

울타리

미나리

동물이 살아가기 위하여 먹는 모든 것.

먹보

먹이

혀를 대고 스치게 하거나 문지르다.

먹다

핥다

양을 치는 사람. 또는 양을 치는 일.

양치기

비행기

그림을 보고, ?에 들어갈 알맞은 낱말을 찾아 선으로 이으세요.

? 에 들어가다.

암탉이 모이를 콕콕 ? .

송아지가 ? 을 먹다.

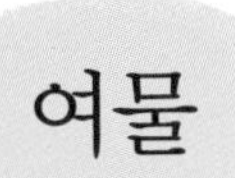

닭장

쪼다

연상 어휘

그림을 보고, 떠오르는 낱말을 보기 에서 찾아 빈칸에 쓰세요.

스스로 평가

농부

'농부'와 관련 있는 어휘와 그 뜻을 소리 내어 읽고, 어휘 그물을 살펴보며 빈칸에 알맞은 낱말을 쓰세요.

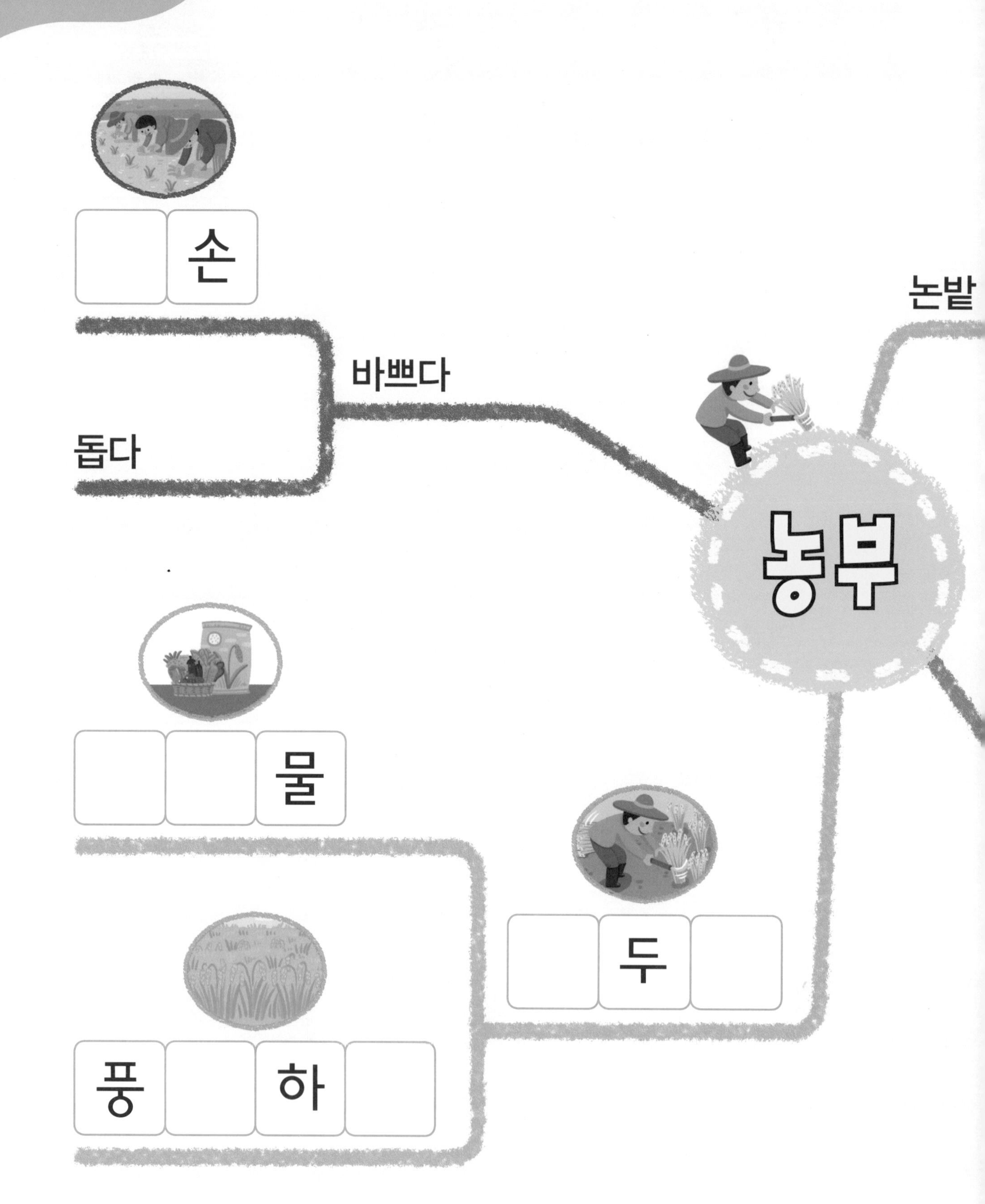

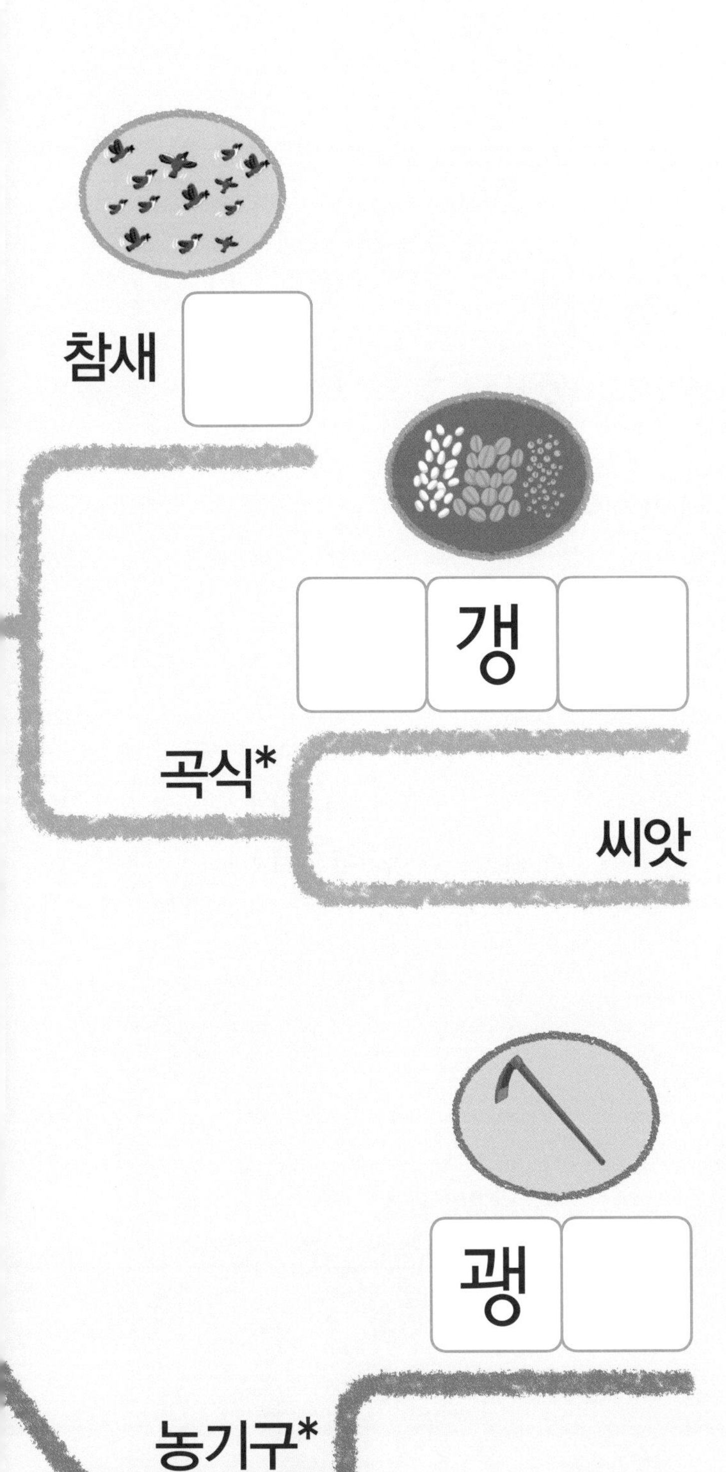

*곡식: 벼, 보리, 콩, 밀, 수수, 조 같은 먹을거리.
*농기구: 농사를 짓는 데 쓰는 기구.
*호미: 김을 매거나 감자, 고구마를 캘 때 쓰는 농기구.

어휘 읽기

거두다
곡식이나 열매 같은 것을 따서 담거나 한데 모으다.

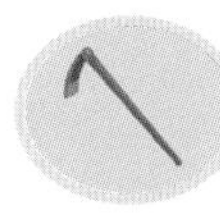

괭이
땅을 파거나 흙을 가지런하게 할 때 쓰는 농기구.

농산물
곡식, 채소, 과일 등 농사를 지어 거둔 먹을거리.

떼
여럿이 한데 모여 있는 무리.

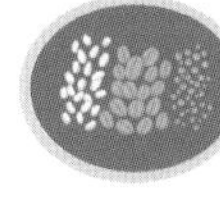

알갱이
작고 둥근 열매나 곡식의 낱개.

일손
일하는 사람.

풍성하다
넉넉하고 많다.

그림과 뜻을 보고, 알맞은 낱말이 쓰인 길을 따라 줄을 그으세요.

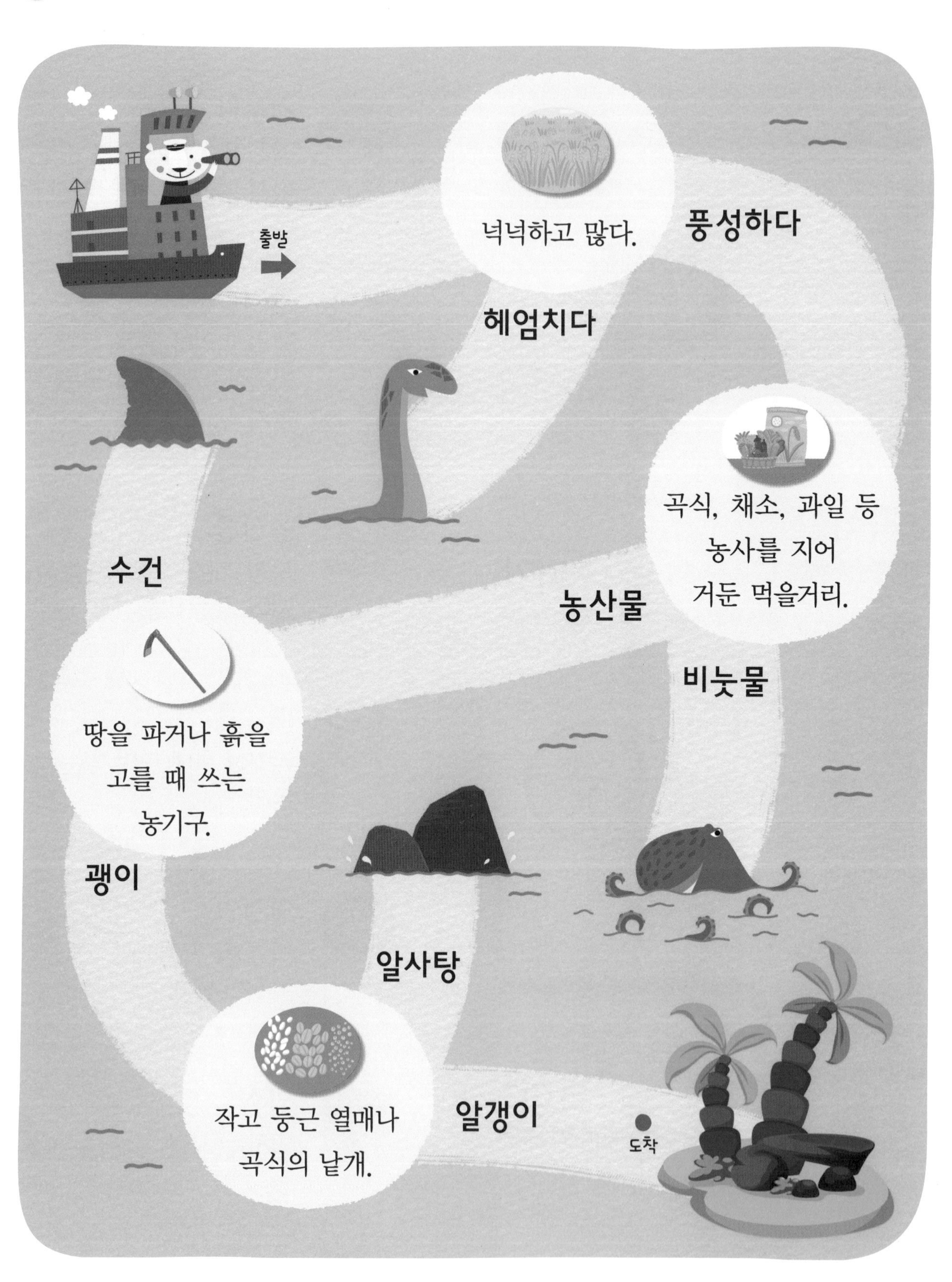

그림을 보고, ?에 들어갈 알맞은 낱말을 찾아 그 칸을 색칠하세요.

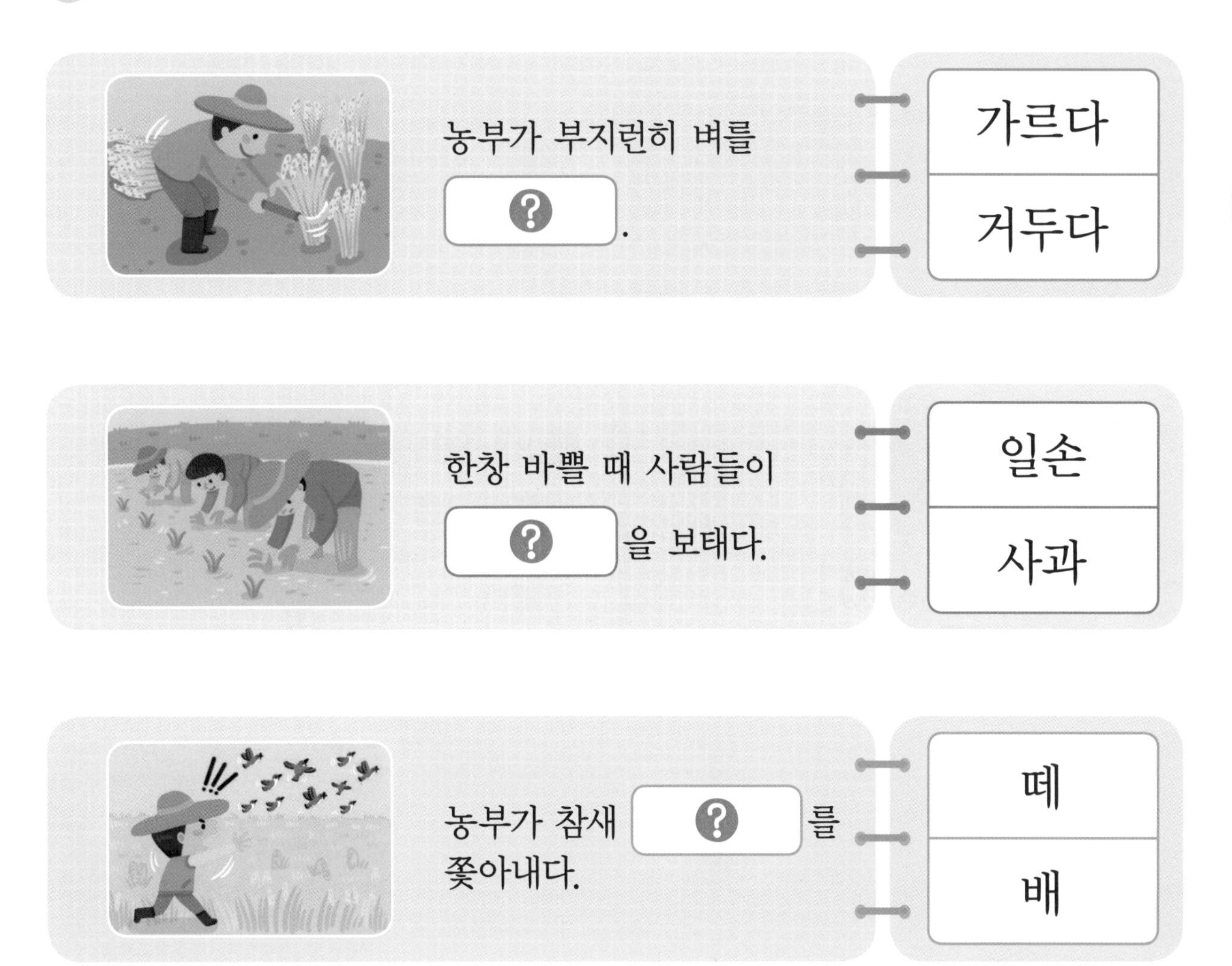

농부가 부지런히 벼를 (?).

가르다
거두다

한창 바쁠 때 사람들이 (?)을 보태다.

일손
사과

농부가 참새 (?)를 쫓아내다.

떼
배

유의어

그림과 낱말을 보고, 비슷한말을 **보기** 에서 찾아 빈칸에 쓰세요.

보기 넉넉하다 집단

떼 = ☐☐

풍성하다 = ☐☐☐☐

*'집단'은 '여럿이 모여 이룬 모임'이라는 뜻이에요.

스스로 평가

직업

'직업'과 관련 있는 어휘와 그 뜻을 소리 내어 읽고, 어휘 그물을 살펴보며 빈칸에 알맞은 낱말을 쓰세요.

상자

	달	하	

택배 배달원*

청	

환		미		원

거	

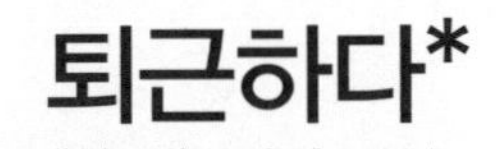

장*

출 하

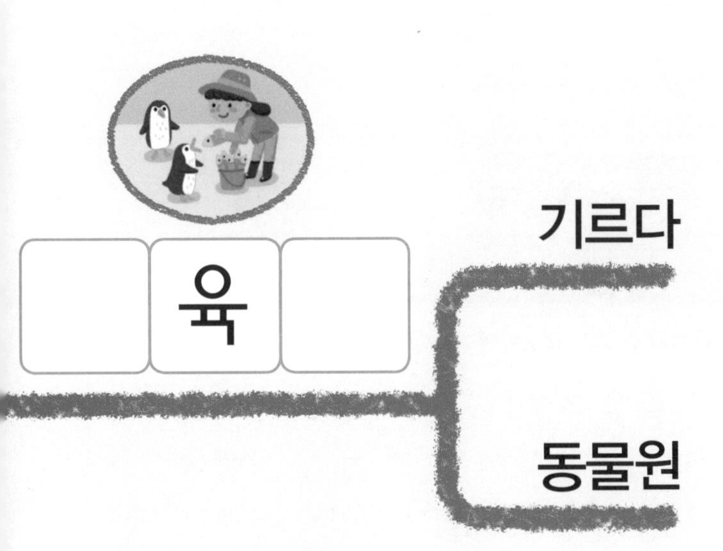

*직장: 사람들이 일정한 직업을 가지고 일하는 곳.
*택배 배달원: 우편물이나 짐, 상품 등을 요구하는 장소까지 배달하는 일을 직업으로 하는 사람.
*퇴근하다: 일터에서 하루 일을 끝내고 나오다.

어휘 읽기

거리
사람이나 차가 많이 오가는 길.

배달하다
물건이나 우편물 등을 집이나 받을 사람이 있는 곳으로 나르다.

뿌듯하다
마음이 기쁘고 흐뭇한 느낌으로 가득하다.

사육사
동물원에서 동물을 기르거나 훈련하는 일을 직업으로 하는 사람.

청소
더럽거나 어질러진 것을 쓸고 닦아 깨끗하게 함.

출근하다
일을 하려고 일터로 나가다.

환경미화원
거리나 공공시설 같은 곳을 청소하고 쓰레기를 거두어 가는 일을 직업으로 하는 사람.

3일 어휘 학습

낱말을 읽고, 알맞은 뜻을 찾아 줄을 그으세요.

더럽거나 어질러진 것을 쓸고 닦아 깨끗하게 함.

마음이 기쁘고 흐뭇한 느낌으로 가득하다.

거리나 공공시설 같은 곳을 청소하고 쓰레기를 거두어 가는 일을 직업으로 하는 사람.

물건이나 우편물 등을 집이나 받을 사람이 있는 곳으로 나르다.

그림을 보고, 알맞은 낱말을 찾아 ○ 하세요.

아빠가 회사에 [건너뛰다. / 출근하다.]

[사육사 / 미용사] 가 동물을 돌본다.

사람들이 [거리 / 의자] 를 오고 간다.

연상 어휘

그림을 보고, 떠오르는 낱말을 보기 에서 찾아 빈칸에 쓰세요.

보기 날리다 먼지

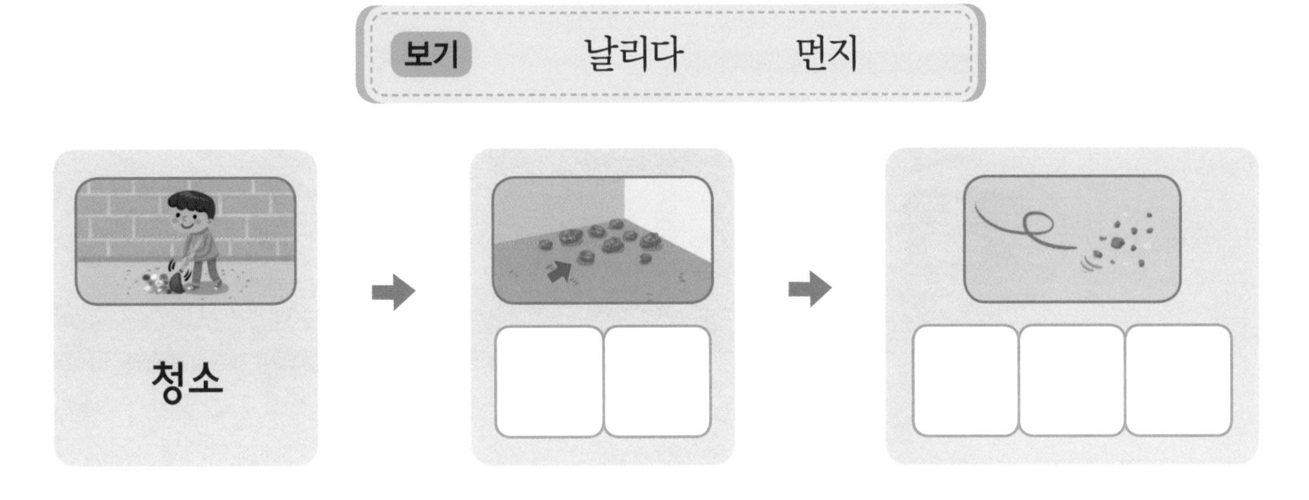

3주

이웃

'이웃'과 관련 있는 어휘와 그 뜻을 소리 내어 읽고, 어휘 그물을 살펴보며 빈칸에 알맞은 낱말을 쓰세요.

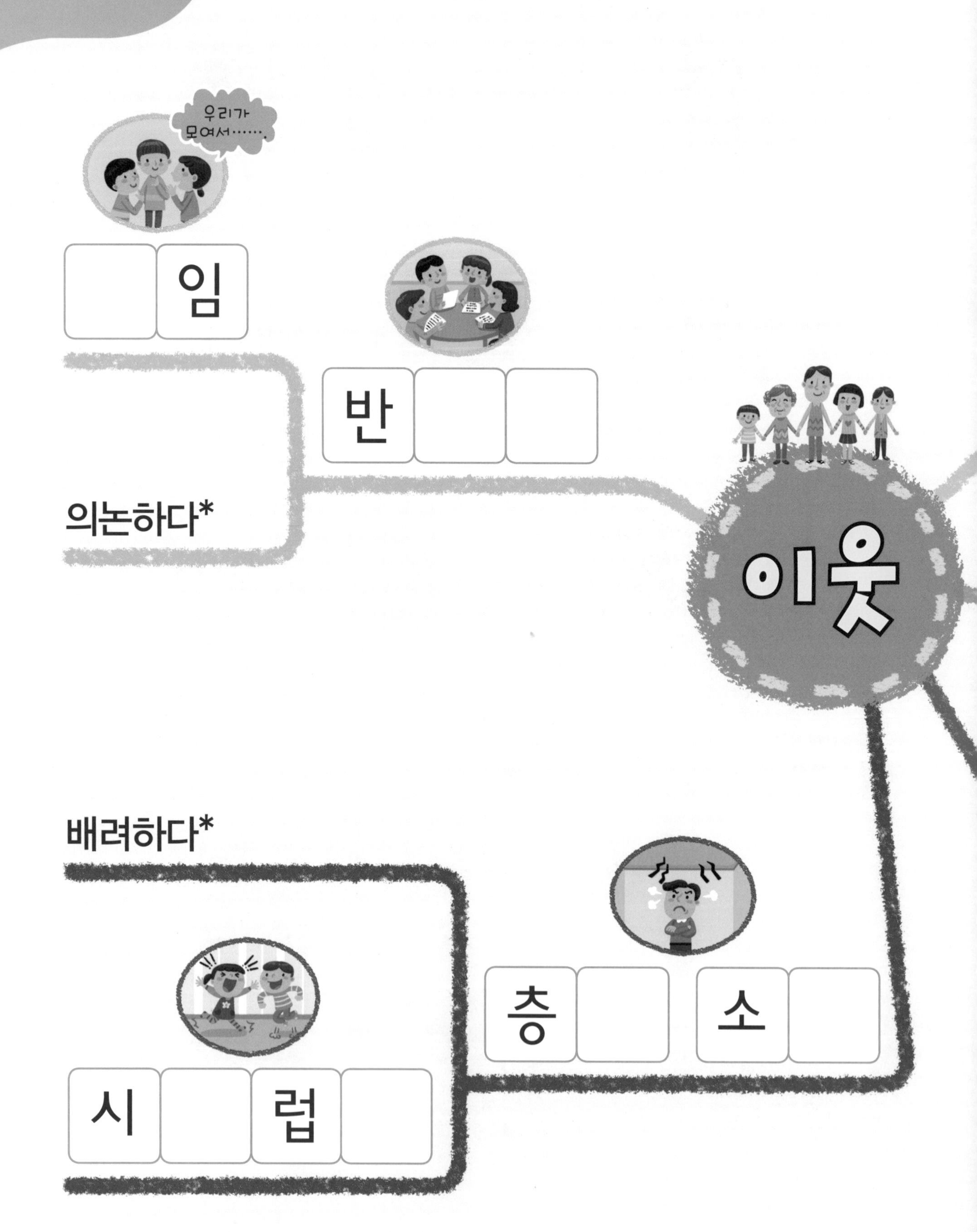

공부한 날 월 일

친

사이좋다

정답다

이

옆집

인사하다

*배려하다: 도와주거나 보살펴 주려고 마음을 쓰다.
*의논하다: 어떤 일에 대하여 서로 의견을 주고받다.

어휘 읽기

동네
여러 집이 모여 사는 곳.

모임
어떤 일을 하려고
여러 사람이 모이는 일.

반상회
같은 동네에 사는 사람들이
모여서 마을 일을 의논하는
모임.

시끄럽다
소리가 지나치게 커서
듣기 싫다.

이사
사는 곳을 다른 데로 옮김.

층간 소음
아파트 같은 공동 주택에서
아랫집에 들리는 윗집의
불쾌하고 시끄러운 소리.

친구
가깝게 오래 사귄 사람.

그림과 낱말을 보고, 알맞은 뜻을 찾아 선으로 이으세요.

아파트 같은
공동 주택에서 아랫집에
들리는 윗집의 불쾌하고
시끄러운 소리.

같은 동네에 사는
사람들이 모여서 마을
일을 의논하는 모임.

가깝게 오래 사귄
사람.

어떤 일을 하려고
여러 사람이 모이는 일.

그림을 보고, 알맞은 낱말을 찾아 흐린 글자를 따라 쓰세요.

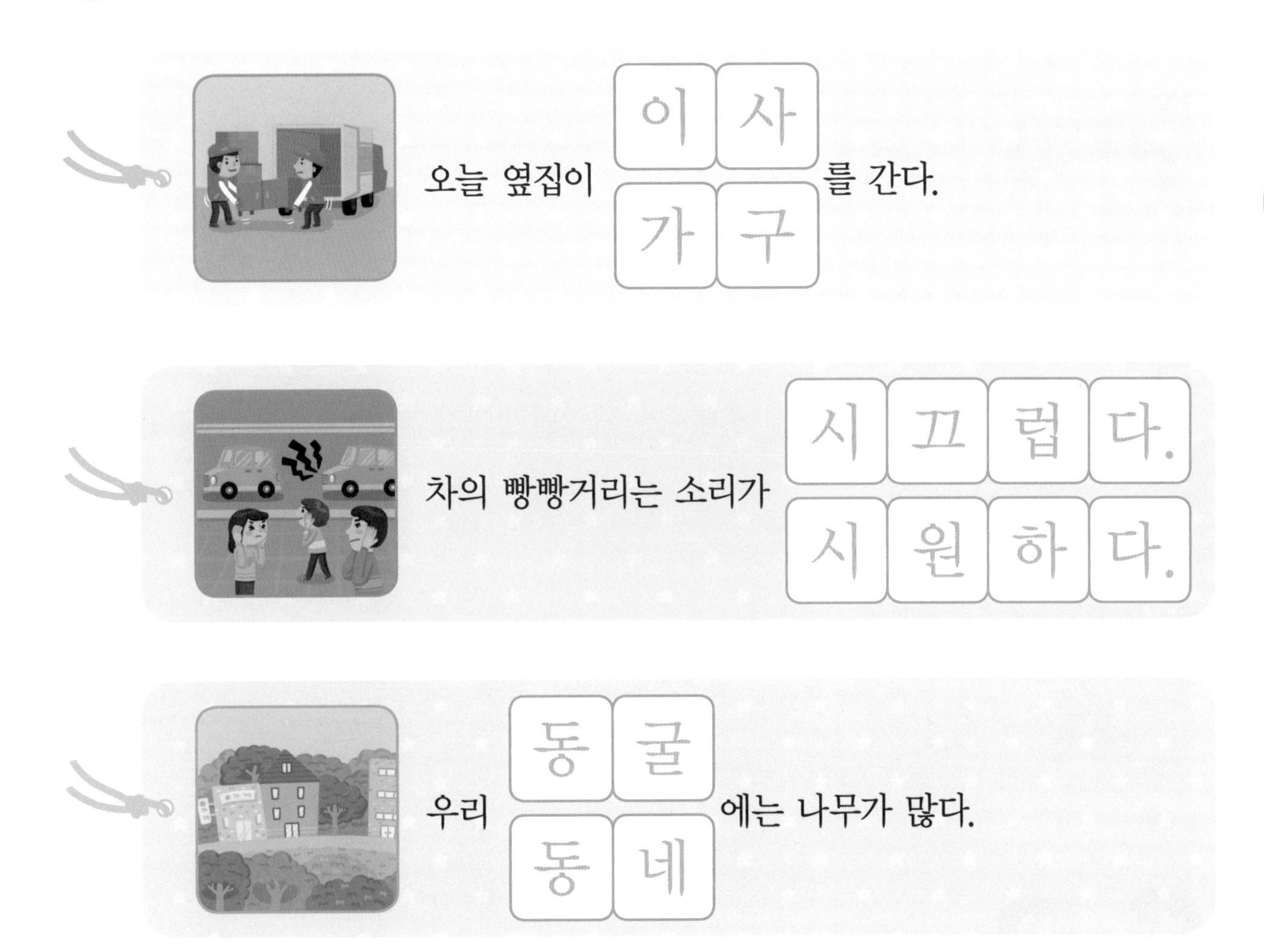

3 주

연상 어휘

그림을 보고, 떠오르는 낱말을 보기 에서 찾아 빈칸에 쓰세요.

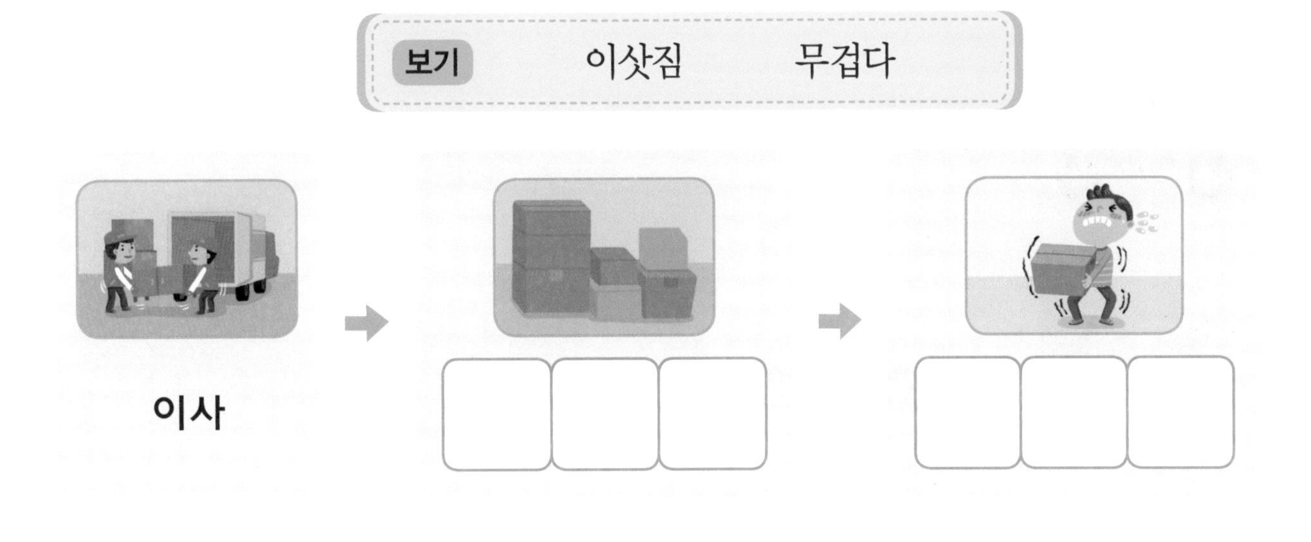

스스로 평가

5일 어휘 복습

국어 그림을 보고, 알맞은 낱말을 찾아 ○ 하세요.

말이 [자동차 / 울타리] 를 펄쩍 뛰어넘는다.

사람들이 아저씨가 거짓말쟁이라고 [소문 / 대문] 낸다.

눈이 오자, 집 앞에 쌓인 눈을 [놓는다. / 치운다.]

인형을 서로 가지려고 [다투었다. / 선물했다.]

아빠는 물건을 오토바이로 [배달한다. / 노래한다.]

옆집에 맛있는 과일을 [나누어 / 북돋워] 준다.

*'소문'은 '사람들 입에 오르내려 전하여 들리는 말'을, '치우다'는 '어떤 것을 다른 곳으로 옮기거나 버리다'를, '다투다'는 '의견이나 생각이 달라 서로 따지고 싸우다'를, '나누다'는 '음식 등을 함께 먹거나 갈라 먹다'를 뜻해요.

수학 그림을 보고, ?에 들어갈 알맞은 낱말을 찾아 선으로 이으세요.

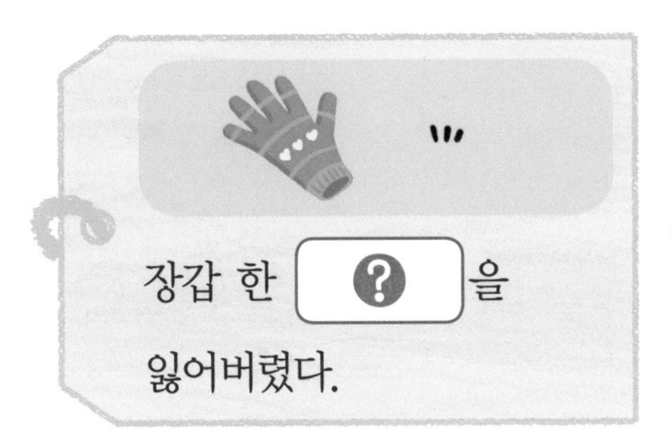

장갑 한 ? 을 잃어버렸다.

짝

엄마의 심부름으로 두부를 한 ? 샀다.

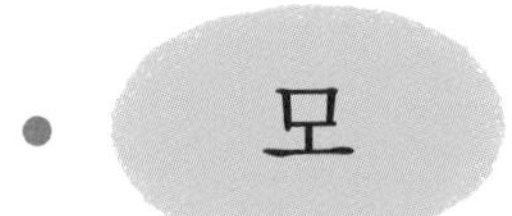

옷장에 양복이 한 ? 걸려 있다.

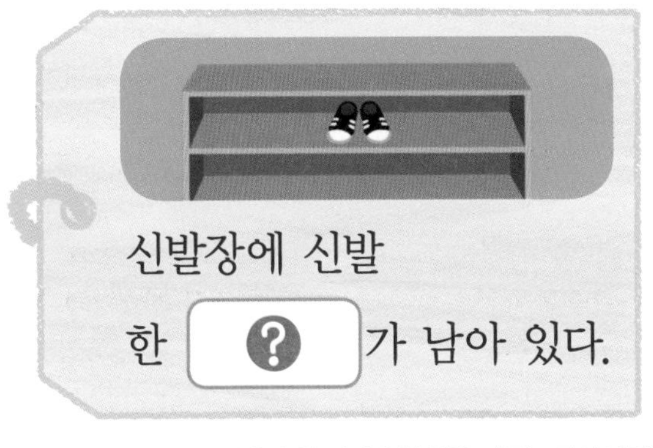

신발장에 신발 한 ? 가 남아 있다.

마리

*'짝'은 둘이 서로 어울려 한 벌이나 한 쌍을 이루는 것의 각각을 세는 단위, '모'는 두부나 묵 등을 세는 단위, '벌'은 옷을 세는 단위, '켤레'는 신, 양말, 방망이 등의 짝이 되는 두 개를 한 벌로 세는 단위예요.

통합교과 뜻을 읽고, 알맞은 낱말을 찾아 줄을 그으세요.

음식 찌꺼기, 망가진 물건, 먼지 등 내다 버릴 물건이나 내다 버린 물건을 통틀어 이르는 말.

어떤 일이나 말을 할 때 짝을 이루는 사람.

중요한 것을 잃거나 다쳐서 손해를 입는 일.

지붕 위나 건물 맨 위를 편평하게 꾸민 곳.

어떤 일을 같이 하거나 어떤 마음을 같이 느끼다.

함께하다

상대편

쓰레기

옥상

피해

글을 읽고, 알맞은 낱말을 찾아 ○ 하세요.

우리 (**동네**, **마루**)는
알록달록 예쁘게 핀 꽃처럼
사람들이 정답게 살아가는 곳.

(**책상**, **거리**)에는
하하 호호 웃음이 넘치고
집 안에는 오순도순 사랑이 넘치네.

사람들이 서로서로 나서서
깨끗이 (**청소**, **요리**)를 하고
너도나도 참 부지런하네.

동네 사람들이 하루하루
모두 다정한 (**먼지**, **친구**)가
되어 가네.

스스로 평가 😄 🙂 🙁

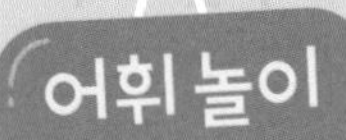

빈 곳에 들어갈 낱말 찾기

낱말의 뜻풀이를 읽고, 빈칸에 들어갈 알맞은 낱말을 쓰세요.

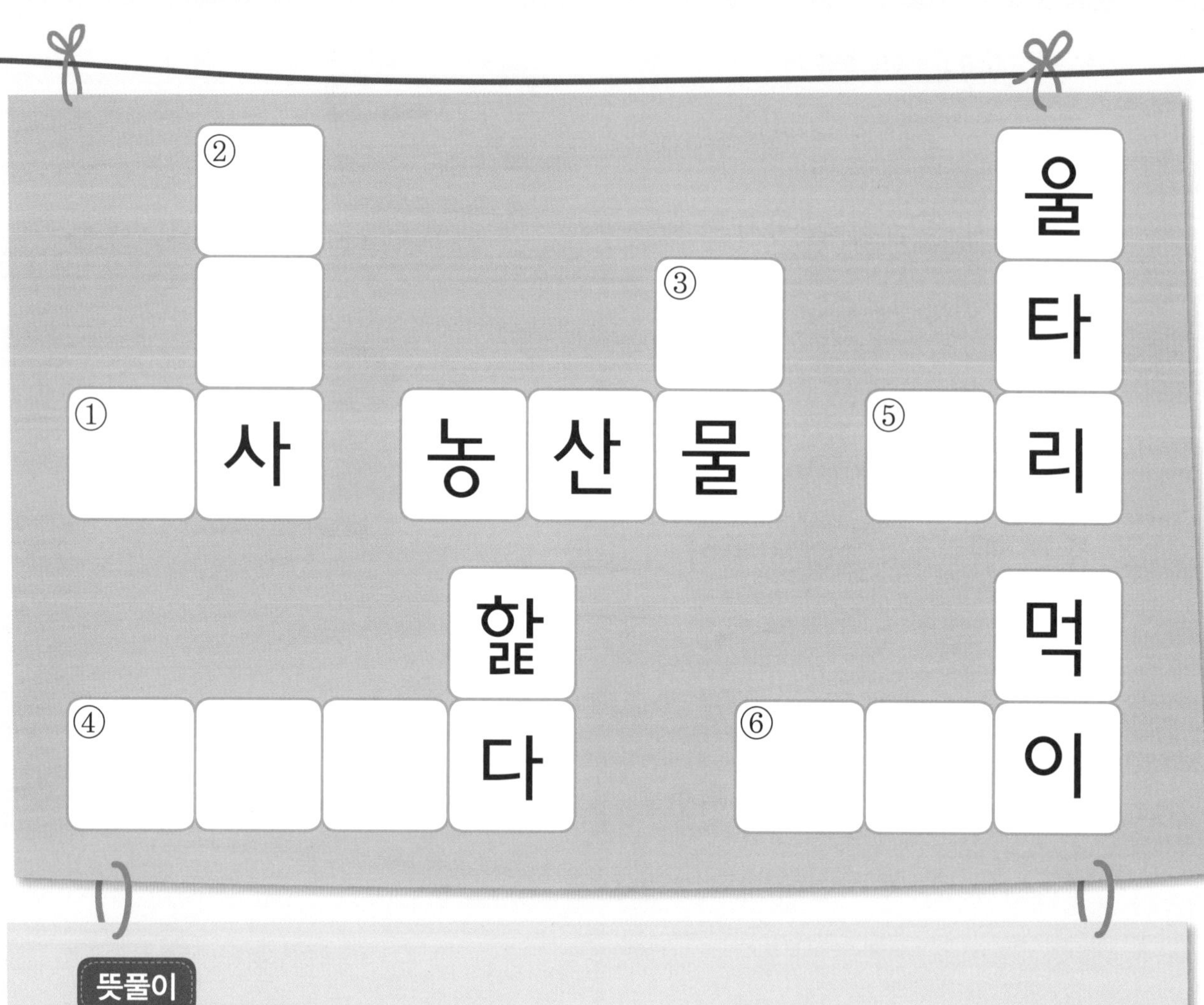

뜻풀이

① 사는 곳을 다른 데로 옮김.

② 동물원에서 동물을 기르거나 훈련하는 일을 직업으로 하는 사람.

③ 말이나 소가 먹도록 짚이나 풀을 말려서 잘게 썰어 만든 먹이.

④ 소리가 지나치게 커서 듣기 싫다.

⑤ 사람이나 차가 많이 오가는 길.

⑥ 작고 둥근 열매나 곡식의 낱개.

관심 있는 주제를 가운데 동그라미에 쓰고, 어휘들을
자유롭게 적으며 나만의 어휘 그물을 만들어 보세요.

내가 만드는 어휘 그물

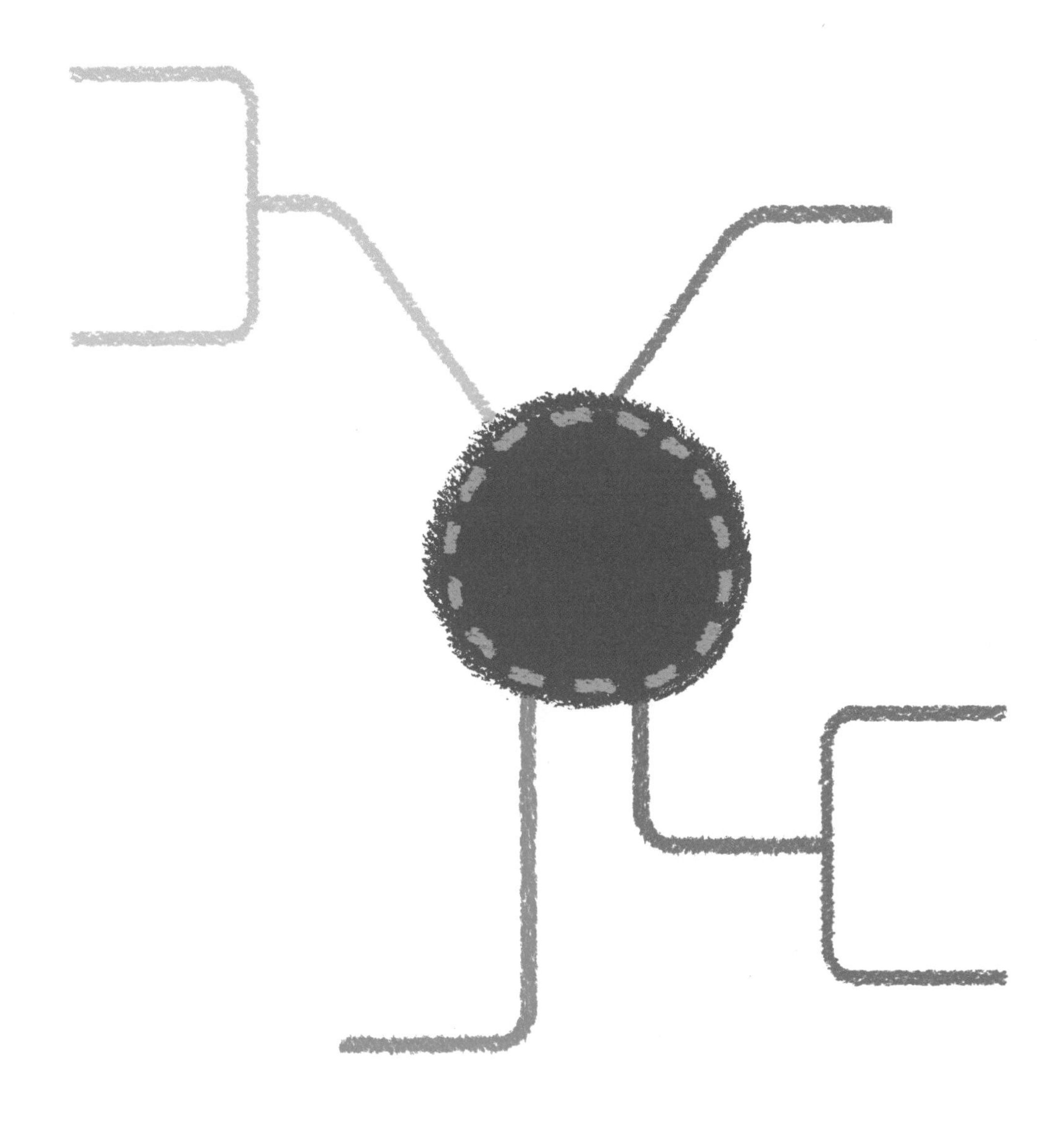

1일 명절

공부할 날 월 일

- ☐ 보름달
- ☐ 설날
- ☐ 세배하다
- ☐ 세뱃돈
- ☐ 송편
- ☐ 지내다
- ☐ 추석

2일 예절

공부할 날 월 일

- ☐ 공손하다
- ☐ 공중도덕
- ☐ 말씀
- ☐ 생신
- ☐ 웃어른
- ☐ 인사하다
- ☐ 태도

3일 우리나라

공부할 날 월 일

- ☐ 대한민국
- ☐ 뛰어나다
- ☐ 무궁화

- ☐ 태극기
- ☐ 한글
- ☐ 한복
- ☐ 한옥

4일 세계

공부할 날 월 일

- ☐ 관광객
- ☐ 다양하다
- ☐ 문화
- ☐ 여행
- ☐ 외국
- ☐ 지구촌
- ☐ 지도

5일 어휘 복습

공부할 날 월 일

아는 어휘 개 / 모르는 어휘 개

어휘 그물

1일

명절

'명절'과 관련 있는 어휘와 그 뜻을 소리 내어 읽고, 어휘 그물을 살펴보며 빈칸에 알맞은 낱말을 쓰세요.

떡국

설 □

□ 배 □ 다

□ 뱃 □

명절

추 □

윷놀이

놀이

연날리기

*빚다: 가루에 물을 부어 반죽해 만두, 송편 등을 만들다.
*차례: 설이나 추석 같은 명절 낮에 지내는 제사.

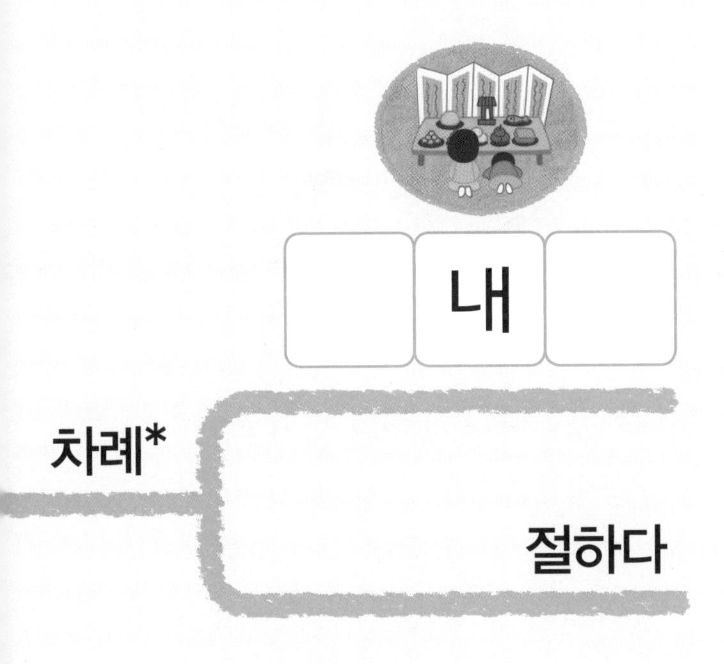

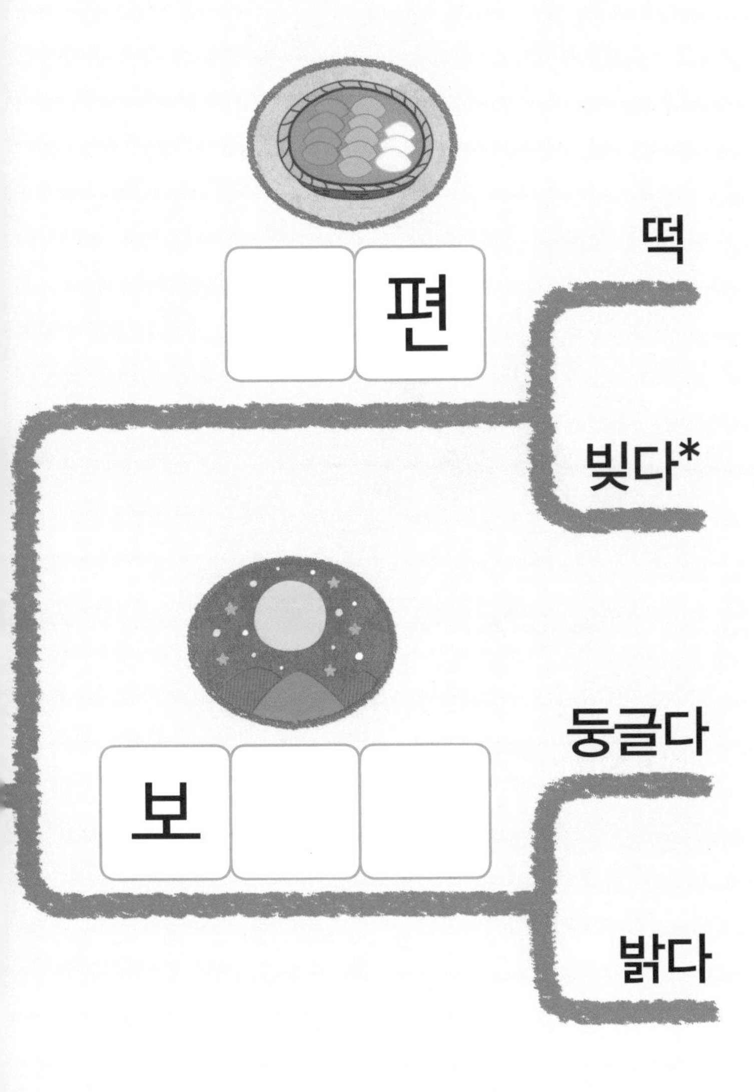

어휘 읽기

보름달
음력으로 그 달의 15일에 뜨는 둥근달.

설날
우리나라 명절의 하나로 음력 1월 1일. 차례를 지내고 웃어른께 절을 하며 인사함.

세배하다
새해를 맞이하여 웃어른께 인사로 절을 하다.

세뱃돈
세배를 받은 사람이 세배를 한 사람에게 주는 돈.

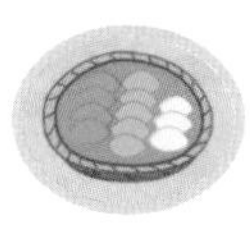

송편
쌀가루 반죽에 팥, 콩, 밤, 깨 등을 넣고 반달 모양으로 만든 떡.

지내다
차례나 제사와 같이 정해진 방법에 따라 일을 하다. 또는 방학이나 계절 등의 시간을 보내다.

추석
우리나라 명절의 하나로 음력 8월 15일. 차례를 지내고 송편을 만들어 먹음.

1일 어휘 학습

그림과 뜻을 보고, 알맞은 낱말을 찾아 그 칸을 색칠하세요.

새해를 맞이하여 웃어른께 인사로 절을 하다.

세배하다	이동하다

우리나라 명절의 하나로 음력 1월 1일. 차례를 지내고 웃어른께 절을 하며 인사함.

설날	송편

음력으로 그 달의 15일에 뜨는 둥근달.

해	보름달

차례나 제사와 같이 정해진 방법에 따라 어떤 일을 하다. 또는 방학이나 계절 등의 시간을 보내다.

지내다	울다

그림을 보고, ?에 들어갈 알맞은 낱말을 찾아 선으로 이으세요.

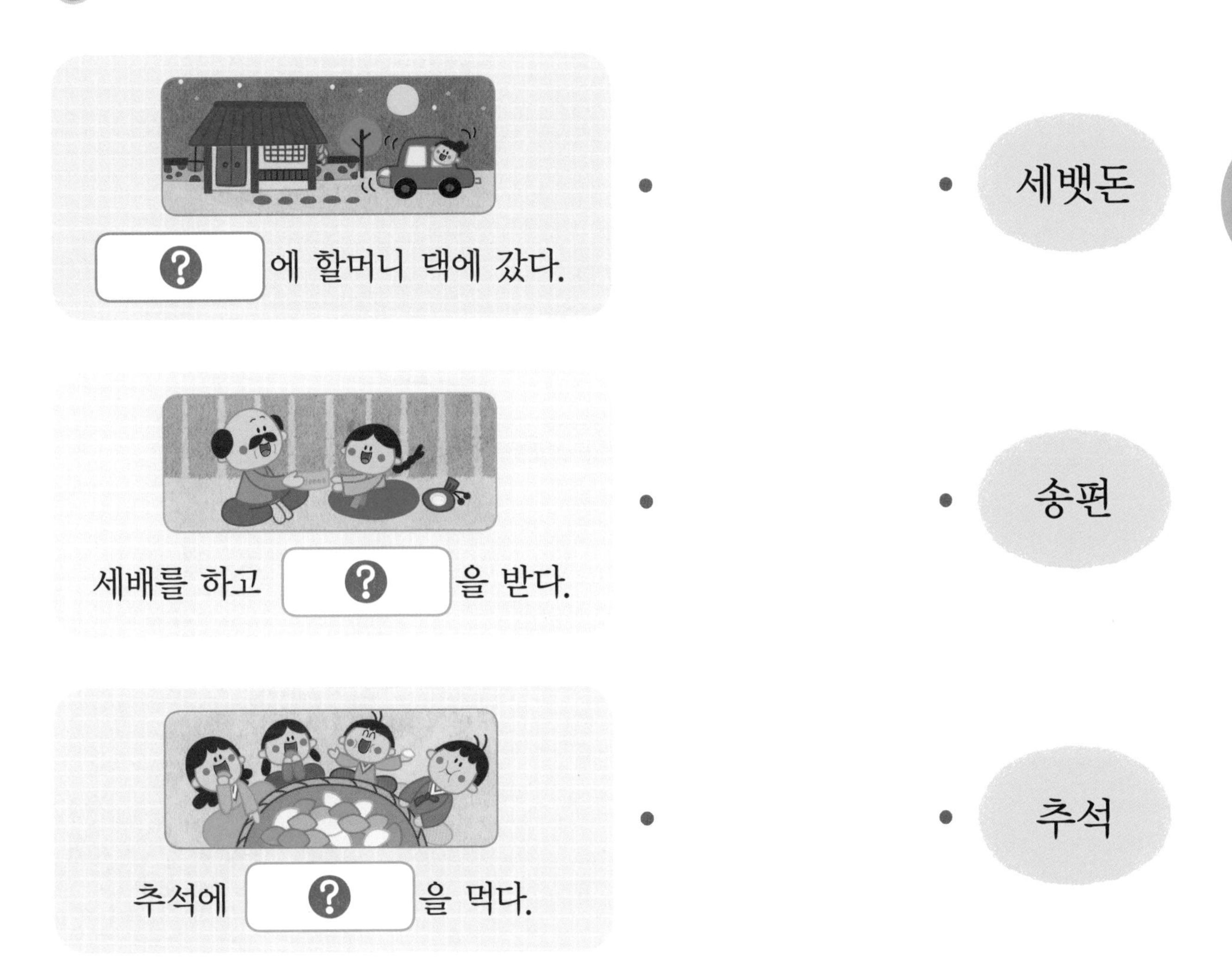

4주

연상 어휘

그림을 보고, 떠오르는 낱말을 보기 에서 찾아 빈칸에 쓰세요.

보기 지구 둥글다

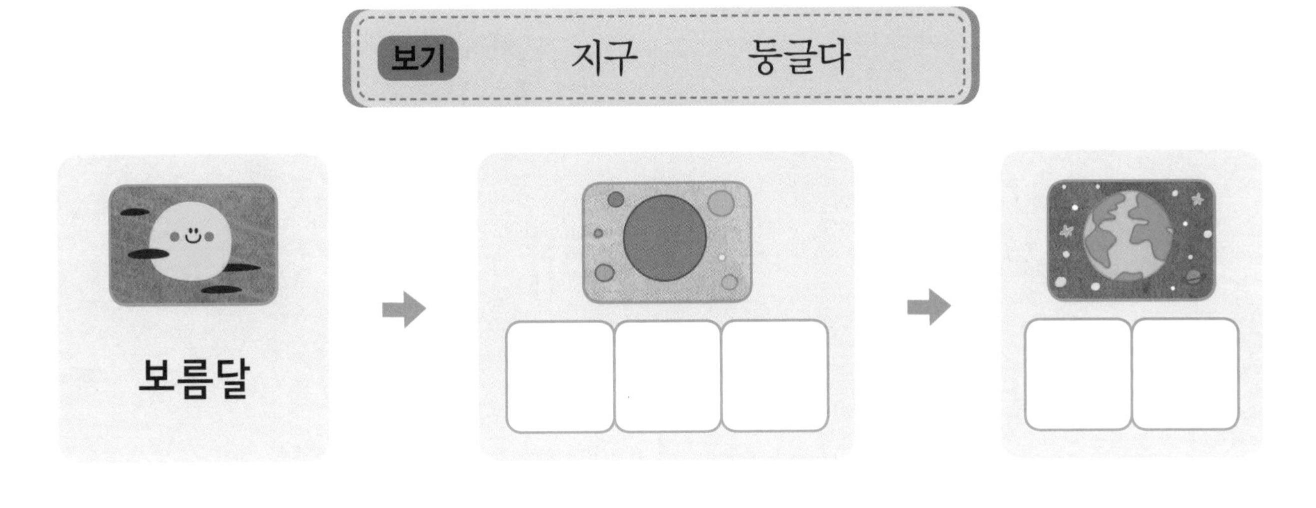

스스로 평가

어휘 그물

2일

예절

'예절'과 관련 있는 어휘와 그 뜻을 소리 내어 읽고, 어휘 그물을 살펴보며 빈칸에 알맞은 낱말을 쓰세요.

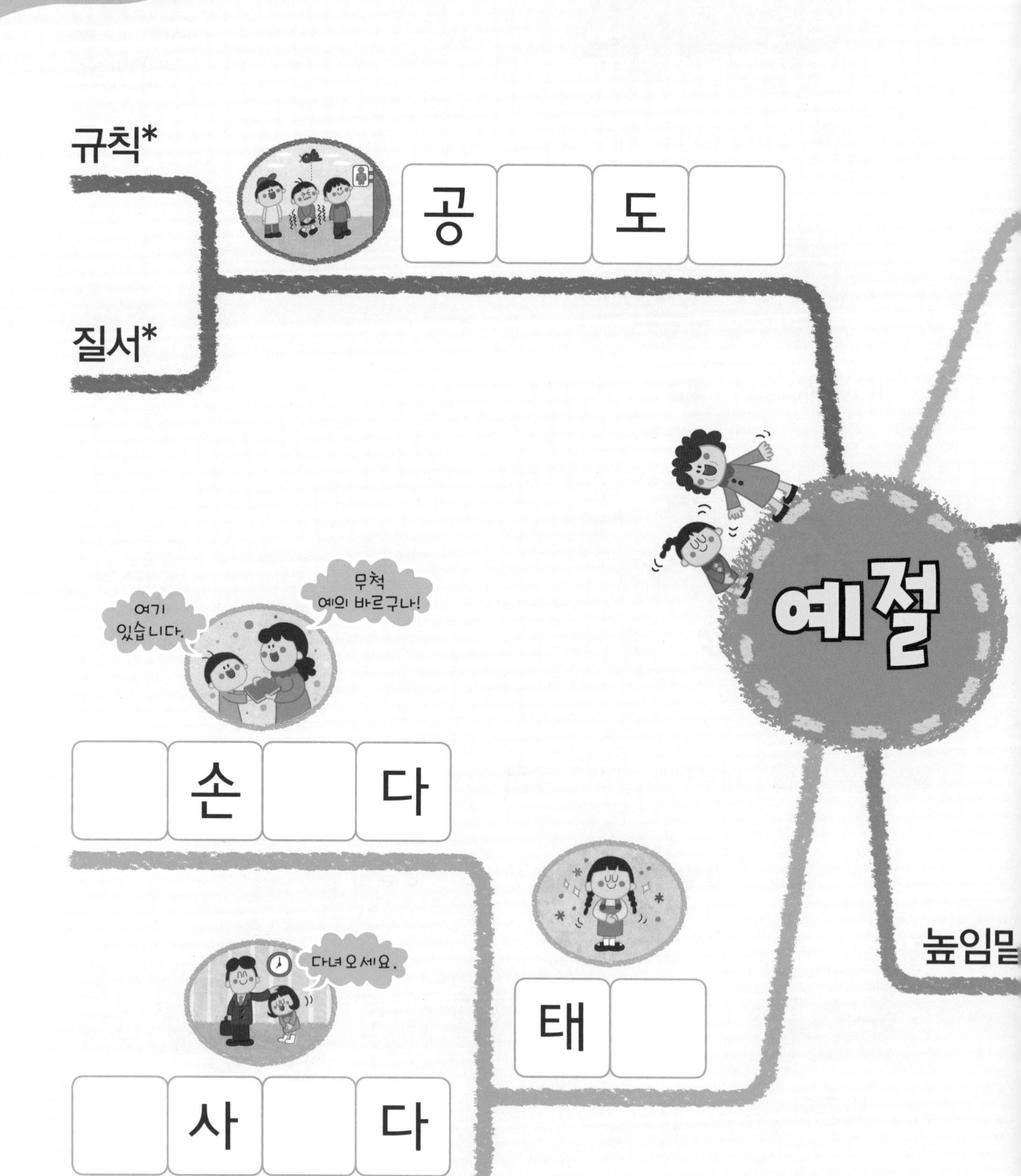

*규칙: 여러 사람이 함께 지키기로 약속한 것.
*질서: 일이 아무 문제없이 잘되게 하는 차례.

어휘 읽기

공손하다
말이나 행동이 예의 바르다.

공중도덕
여러 사람이 함께 지켜야 할 규칙과 약속.

말씀
어른이나 다른 사람의 말을 높여서 부르는 말.

생신
어른의 생일을 높여서 부르는 말.

웃어른
나이가 자기보다 많아 소중히 대하고 모시는 사람.

인사하다
만나거나 헤어질 때에 말과 행동으로 마음을 표시하다.

태도
겉으로 보이는 몸의 자세 또는 마음가짐.

2일 어휘 학습

그림과 낱말을 보고, 알맞은 뜻을 찾아 줄을 그으세요.

만나거나 헤어질 때에 말과 행동으로 마음을 표시하다.

겉으로 보이는 몸의 자세 또는 마음가짐.

어른의 생일을 높여서 부르는 말.

나이가 자기보다 많아 소중히 대하고 모시는 사람.

그림을 보고, 알맞은 낱말을 찾아 ○ 하세요.

할머니께 [공손하게 / 안전하게] 인사를 한다.

민규는 선생님의 [그림 / 말씀] 을 들었다.

[공중도덕 / 전자제품] 을 잘 지켜야 한다.

4 주

연상 어휘

그림을 보고, 떠오르는 낱말을 보기 에서 찾아 빈칸에 쓰세요.

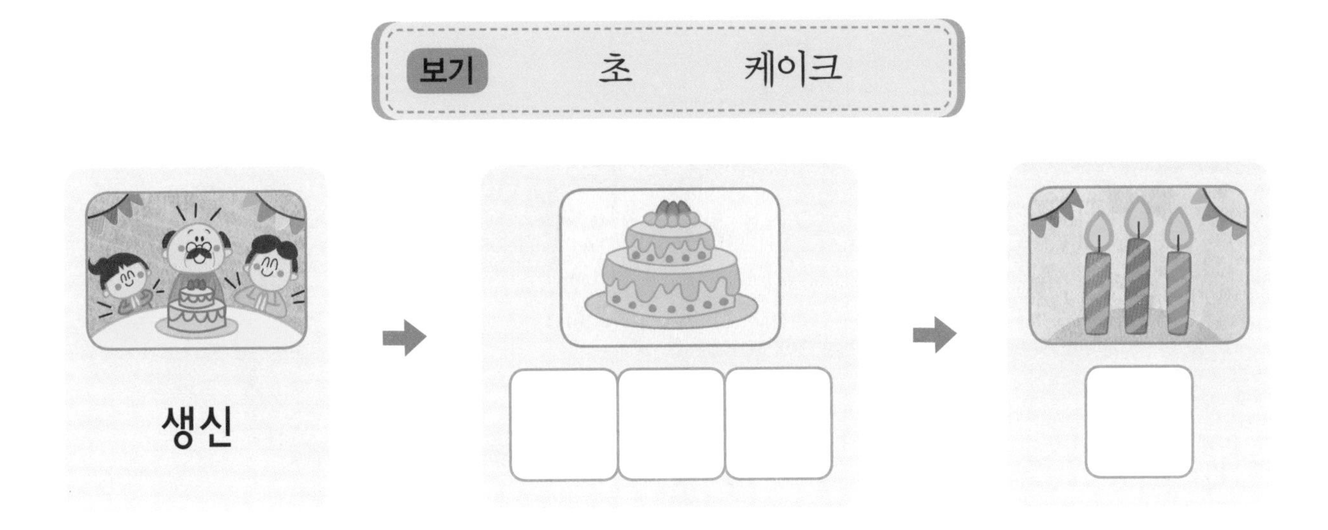

스스로 평가

어휘 그물

우리나라

'우리나라'와 관련 있는 어휘와 그 뜻을 소리 내어 읽고,
어휘 그물을 살펴보며 빈칸에 알맞은 낱말을 쓰세요.

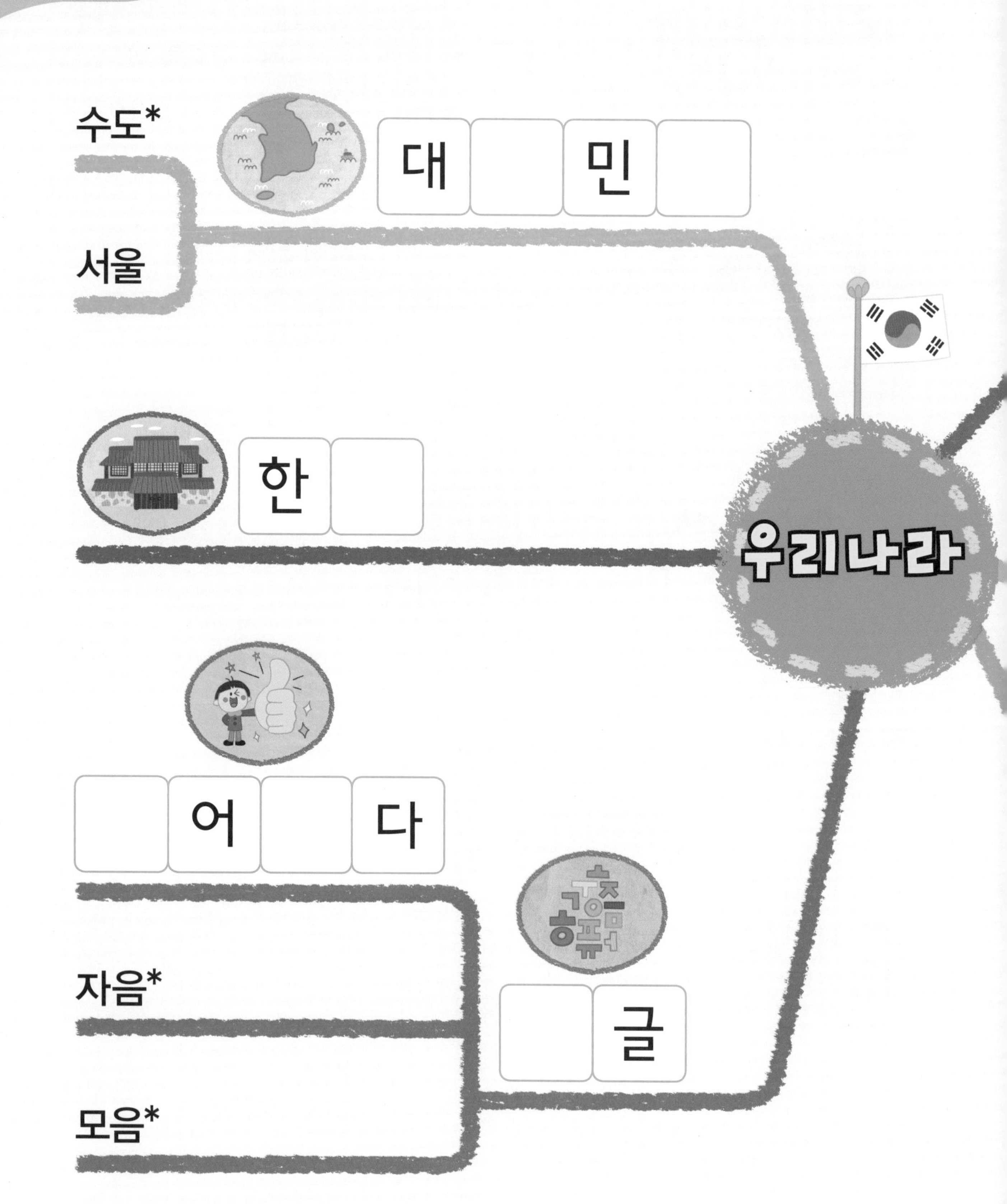

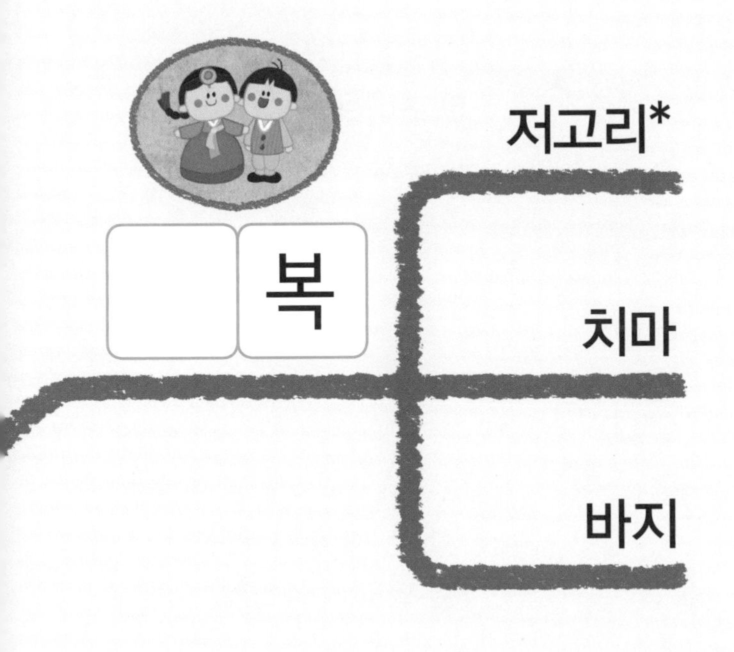

*모음: 'ㅏ, ㅑ, ㅓ, ㅕ, ㅗ, ㅛ, ㅜ, ㅠ, ㅡ, ㅣ'가 있음.
*수도: 한 나라의 중심이 되는 도시.
*자음: 'ㄱ, ㄴ, ㄷ, ㄹ, ㅁ, ㅂ, ㅅ, ㅇ, ㅈ, ㅊ, ㅋ, ㅌ, ㅍ, ㅎ, ㄲ, ㄸ, ㅃ, ㅆ, ㅉ'이 있음.
*저고리: 한복 윗옷 가운데 하나.

어휘 읽기

대한민국
우리나라의 이름.
한국이라고도 부름.

뛰어나다
다른 것보다 앞서고
훌륭하다.

무궁화
우리나라를 나타내는 꽃.
여름부터 가을까지 분홍색,
흰색, 자주색 등의 종 모양
꽃이 핌.

태극기
우리나라를 나타내는 깃발.
흰색 바탕이고, 가운데에
태극 문양과 네 모서리에
각각 검은색 선인 괘가 있음.

한글
세종 대왕이 만든
우리나라의 글자.

한복
우리나라의 전통 옷.

한옥
옛날 방식으로 지은
우리나라의 전통 집.

3일 어휘 학습

그림과 낱말을 보고, 알맞은 뜻을 찾아 선으로 이으세요.

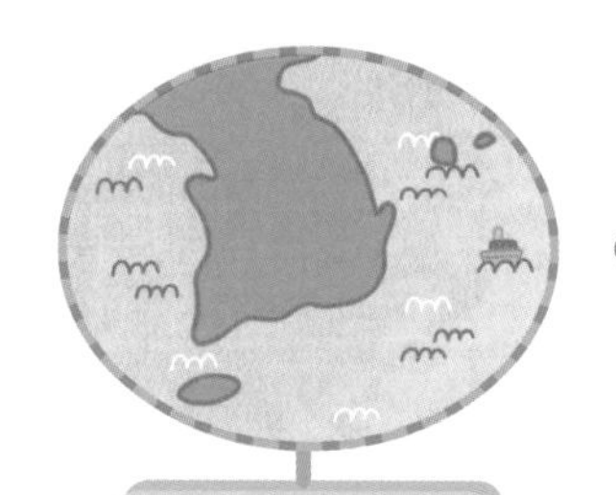

대한민국

한옥

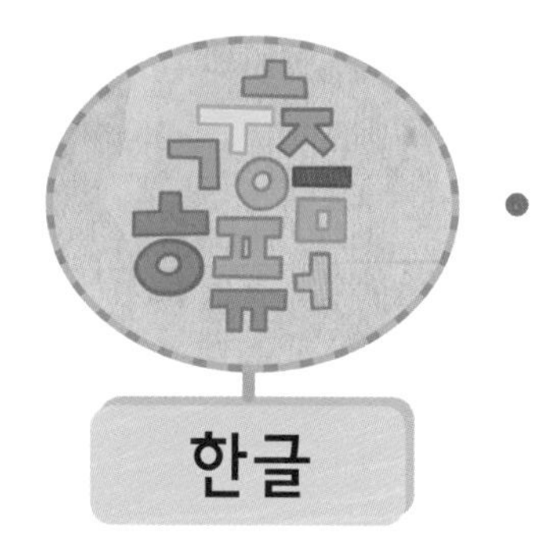

한글

뛰어나다

- 우리나라의 이름. 한국이라고도 부름.
- 세종 대왕이 만든 우리나라의 글자.
- 다른 것보다 앞서고 훌륭하다.
- 옛날 방식으로 지은 우리나라의 전통 집.

그림을 보고, ?에 들어갈 알맞은 낱말을 찾아 그 칸을 색칠하세요.

상위어

그림과 낱말을 잘 보고, 두 낱말을 모두 포함하는 말을 보기 에서 찾아 빈칸에 쓰세요.

보기 한복 한글

스스로 평가

세계

'세계'와 관련 있는 어휘와 그 뜻을 소리 내어 읽고, 어휘 그물을 살펴보며 빈칸에 알맞은 낱말을 쓰세요.

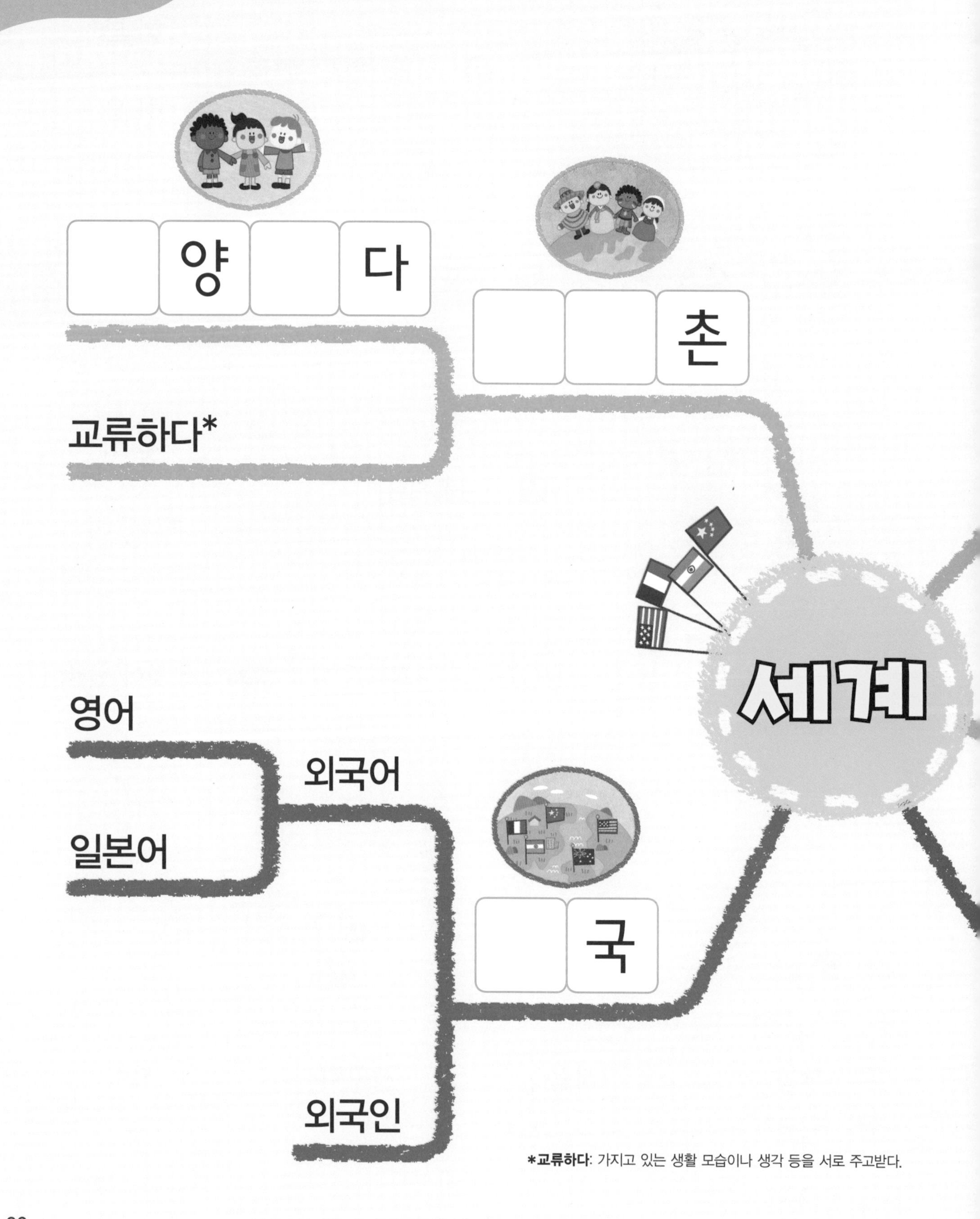

*교류하다: 가지고 있는 생활 모습이나 생각 등을 서로 주고받다.

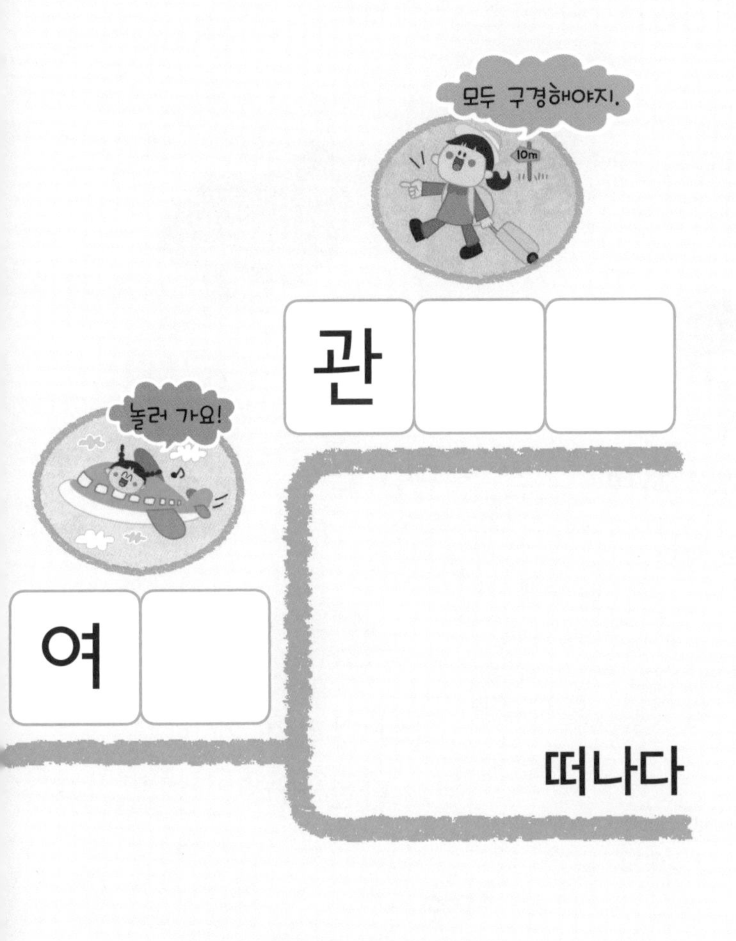

어휘 읽기

관광객
내가 살고 있지 않은 곳이나 다른 나라의 모습을 구경하러 다니는 사람.

다양하다
모양, 빛깔, 모습, 생김새 등이 여러 가지로 많다.

문화
옷, 음식, 집, 예술 등 그 나라만이 가지고 있는 독특한 생활 모습.

여행
돌아다니며 구경하기 위해 다른 곳이나 다른 나라에 가는 일.

외국
나의 나라가 아닌 다른 나라.

지구촌
지구 전체를 한 마을처럼 생각하여 부르는 말.

지도
우리가 살고 있는 곳을 작게 줄이고 기호로 나타낸 그림.

그림과 뜻을 보고, 알맞은 낱말이 쓰인 길을 따라 줄을 그으세요.

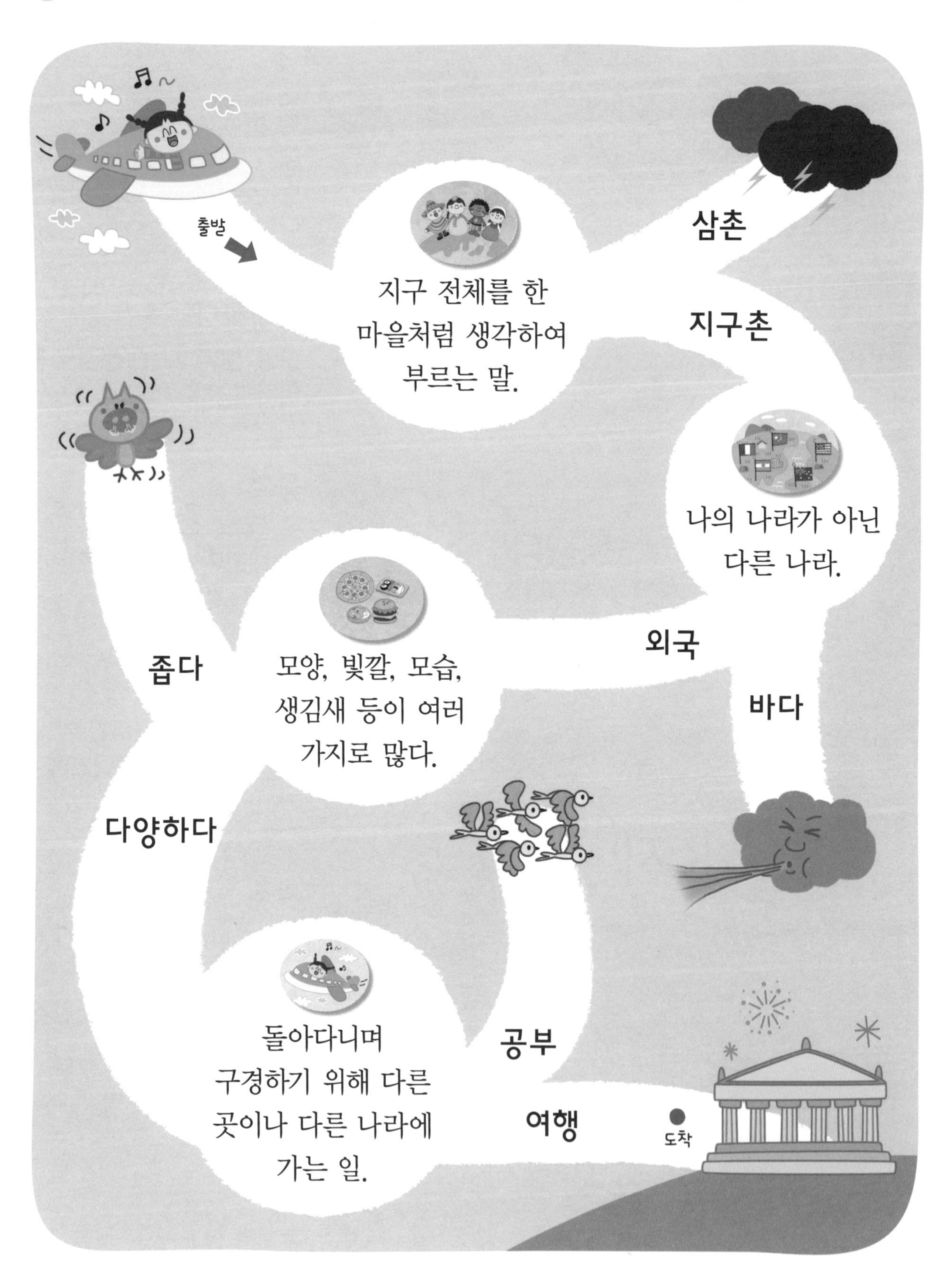

그림을 보고, 알맞은 낱말을 찾아 흐린 글자를 따라 쓰세요.

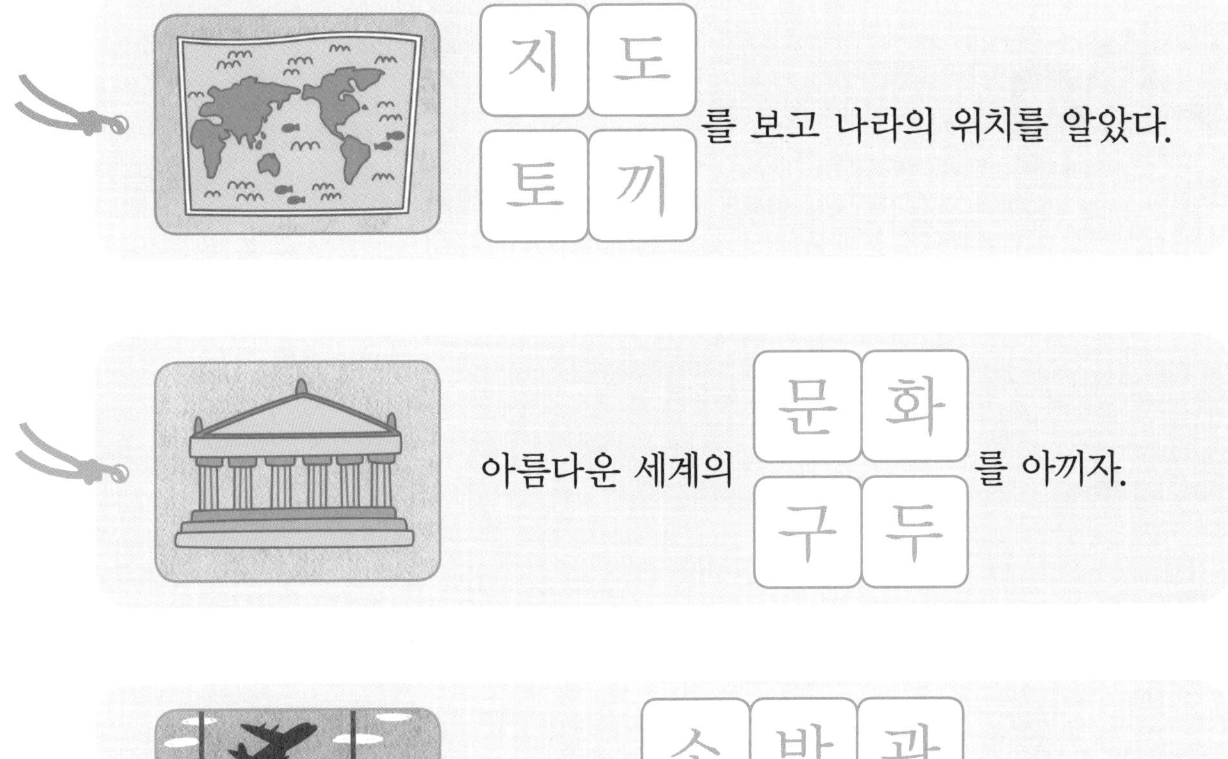

연상 어휘

그림을 보고, 떠오르는 낱말을 보기 에서 찾아 빈칸에 쓰세요.

보기 나침반 동서남북

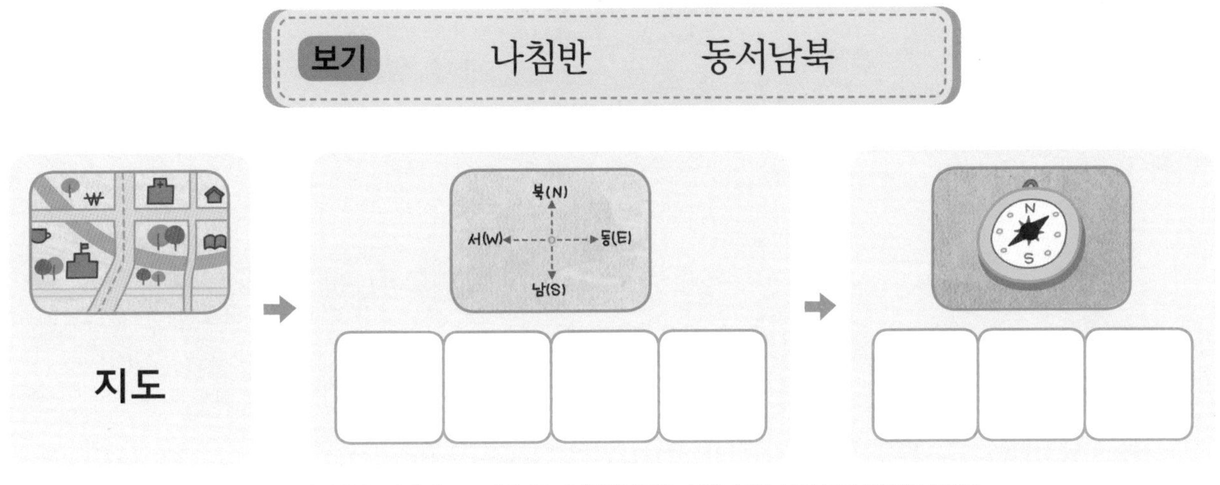

*'나침반'은 '자석의 성질을 이용하여 방향을 가리키는 도구'를, '동서남북'은 '동쪽, 서쪽, 남쪽, 북쪽 모든 방향'을 뜻해요.

스스로 평가

국어 그림을 보고, 알맞은 낱말을 찾아 ○ 하세요.

오늘은 아버지의 생신 / 생일 이다.

추석에 낙엽 / 쟁반 같이 둥근달이 떴다.

웃어른께 예절을 지키는 것은 중요하다. / 조심하다.

외국어 / 우리말 인 한글은 우수하다.

옛날에는 초가집 / 식탁 에서 살았다.

해외여행을 가서 여러 곳을 구경했다. / 다양했다.

*'쟁반'은 '그릇을 받칠 수 있도록 높이가 높지 않고 바닥이 넓은 그릇'을, '중요하다'는 '귀하여 반드시 필요하다'를, '우리말'은 '우리나라 사람이 쓰는 말'을, '초가집'은 '갈대나 볏짚으로 지붕을 만든 집'을, '구경하다'는 '재미와 관심을 가지고 보다'를 뜻해요.

수학 그림을 보고, ?에 들어갈 알맞은 낱말을 찾아 선으로 이으세요.

비교

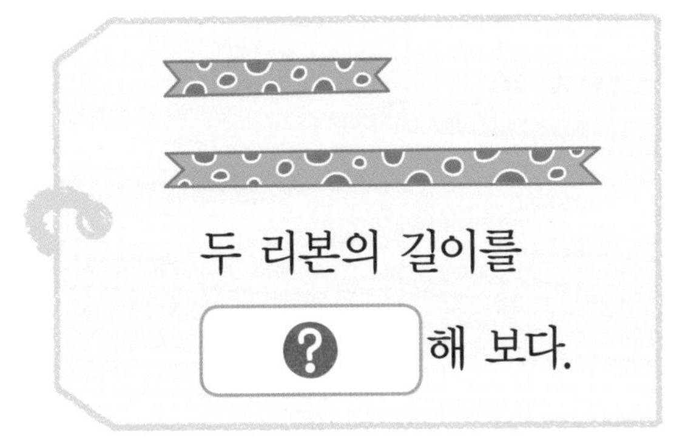

짝수

모양

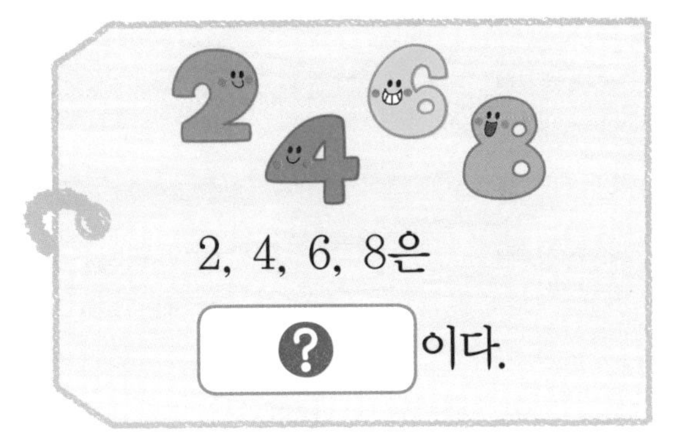

홀수

4주

*'비교'는 '두 개나 그보다 많은 수의 물건 등을 보고 비슷하거나 다른 것을 찾는 일'을, '짝수'는 '2, 4, 6, 8, 10과 같이 둘씩 짝을 지었을 때 남는 것이 없는 수'를, '모양'은 '겉으로 보여지는 모습이나 생김새'를, '홀수'는 '1, 3, 5, 7, 9와 같이 둘씩 짝을 지었을 때 하나가 남는 수'를 뜻해요.

통합교과 그림과 뜻을 보고, 알맞은 낱말을 보기 에서 찾아 빈칸에 쓰세요.

보기 대한민국 애국가 기념품 배려하다 차례 식혜

오랫동안 잊지 않고 기억하기 위한 물건. □□□

보리에 물을 부어 말린 엿기름에 쌀밥을 말아 만드는 우리나라의 전통 음료. □□

우리나라의 이름. 한국이라고도 부름. □□□□

설이나 추석 같은 명절 낮에 지내는 제사. □□

도와주거나 보살펴 주려고 마음을 쓰다. □□□□

애국가

우리나라를 나타내는 노래. □□□

글을 읽고, 알맞은 낱말을 찾아 ○ 하세요.

20○○년 ○○월 ○○일 ○요일 날씨: ☼

오늘은 우리나라의 명절인 (**설날, 한복**)이다.

나와 동생은 아침 일찍 일어나 엄마가 사 주신 고운 한복을 입었다.

아침부터 여러 친척들이 오셔서 집이 북적북적했다.

나와 동생은 어른들께 예의 바르게 (**식혜, 인사**)를 했다.

가족과 친척이 모두 모여 차례를 지내고 어른들께 (**세배, 놀이**)를 했다.

어른들은 건강하고 공부도 열심히 하라고 말씀하시며 세뱃돈도 주셨다.

나는 온 가족들이 모여 즐겁게 놀고 이야기할 수 있는 명절이 참 좋다.

내가 어른이 되면 (**외국, 한옥**)으로 여행을 다니며 우리나라의 멋진 명절의 모습을 다른 나라에 널리 알리고 싶다.

스스로 평가

어휘 놀이

같은 글자로 끝나는 낱말

낱말을 읽고, 같은 글자로 끝나는 낱말을 생각하여 빈칸에 쓰세요.

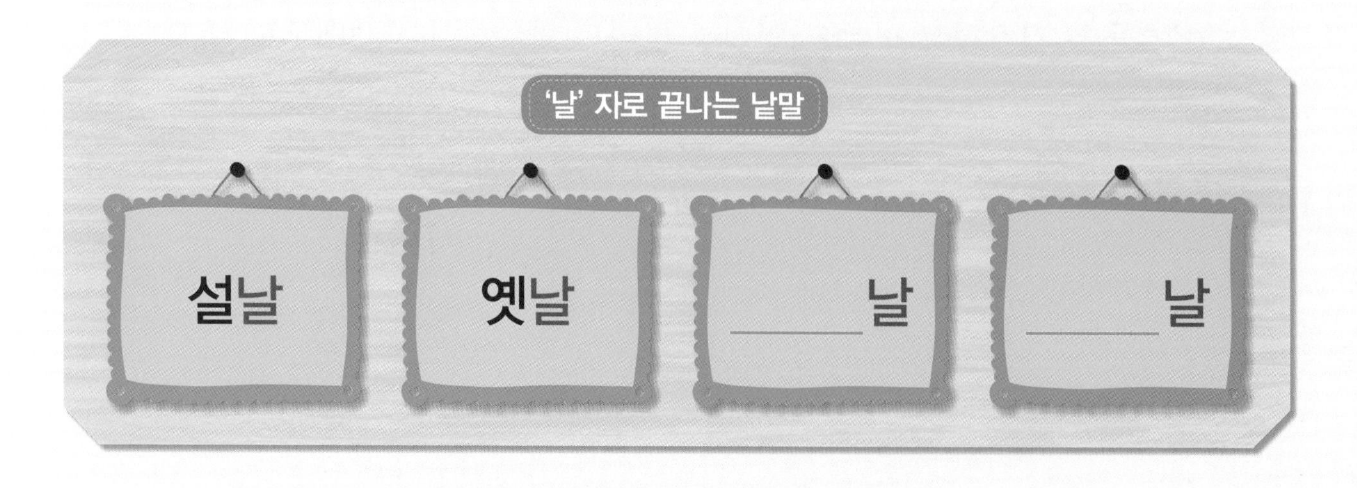

관심 있는 주제를 가운데 동그라미에 쓰고, 어휘들을
자유롭게 적으며 나만의 어휘 그물을 만들어 보세요.

내가 만드는 어휘 그물

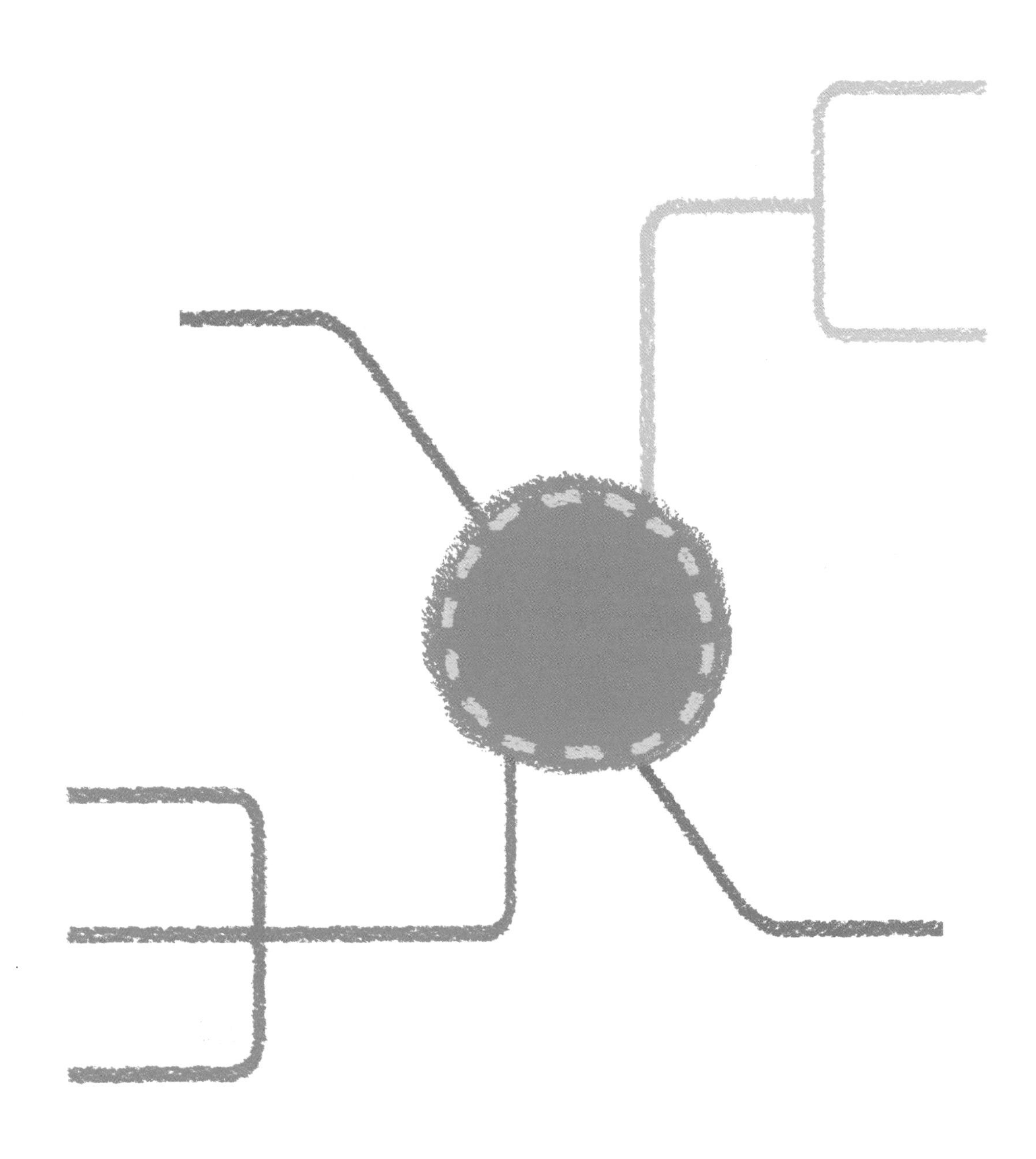

초등 교과 연계표

≫ 〈1일 10분 초등 메가 어휘력〉은 초등 주요 교과에서 뽑은 어휘들과 교과 학습에 도움이 되는 어휘들로 이루어져 있습니다.

1주

일	주제	교과 및 연계 단원	
1	동물	국어 1-2 ㉮ 2. 소리와 모양을 흉내 내요 국어 1-2 ㉮ 3. 문장으로 표현해요	통합교과 봄 1-1 2. 도란도란 봄 동산
2	식물	국어 1-1 ㉮ 1. 바른 자세로 읽고 쓰기 국어 1-2 ㉯ 7. 무엇이 중요할까요	국어 1-2 ㉯ 8. 띄어 읽어요 통합교과 봄 1-1 2. 도란도란 봄 동산
3	음악	국어 1-2 ㉮ 1. 소중한 책을 소개해요 국어 1-2 ㉮ 5. 알맞은 목소리로 읽어요	국어 1-2 ㉯ 7. 무엇이 중요할까요 통합교과 봄 1-1 1. 학교에 가면
4	미술	국어 1-1 ㉯ 9. 그림일기를 써요	통합교과 봄 1-1 1. 학교에 가면
5	어휘 복습	국어 1-2 ㉮ 1. 소중한 책을 소개해요 수학 1-2 1. 100까지의 수	통합교과 가을 1-2 2. 현규의 추석

2주

일	주제	교과 및 연계 단원	
1	일기 예보	국어 1-1 ㉯ 7. 생각을 나타내요 국어 1-1 ㉯ 8. 소리 내어 또박또박 읽어요	통합교과 봄 1-1 1. 학교에 가면
2	무더위	국어 1-1 ㉮ 2. 재미있게 ㄱ ㄴ ㄷ 국어 1-2 ㉮ 2. 소리와 모양을 흉내 내요	통합교과 여름 1-1 4. 여름 나라
3	바다	국어 1-2 ㉮ 1. 소중한 책을 소개해요 국어 1-2 ㉮ 2. 소리와 모양을 흉내 내요	국어 1-2 ㉮ 3. 문장으로 표현해요 국어 1-2 ㉯ 10. 인물의 말과 행동을 상상해요
4	눈	국어 1-1 ㉯ 7. 생각을 나타내요 국어 1-2 ㉮ 2. 소리와 모양을 흉내 내요	통합교과 겨울 1-2 2. 우리의 겨울
5	어휘 복습	국어 1-1 ㉮ 3. 다 함께 아야어여 국어 1-1 ㉯ 7. 생각을 나타내요 국어 1-1 ㉯ 8. 소리 내어 또박또박 읽어요	수학 1-1 4. 비교하기 통합교과 봄 1-1 1. 학교에 가면 통합교과 봄 1-1 2. 도란도란 봄 동산

3주

일	주제	교과 및 연계 단원	
1	농장	국어 1-2 가 2. 소리와 모양을 흉내 내요	국어 1-2 가 3. 문장으로 표현해요
2	농부	국어 1-2 나 7. 무엇이 중요할까요 국어 1-2 나 8. 띄어 읽어요	통합교과 봄 1-1 2. 도란도란 봄 동산 통합교과 가을 1-2 2. 현규의 추석
3	직업	국어 1-1 가 5. 다정하게 인사해요 국어 1-2 나 8. 띄어 읽어요	통합교과 가을 1-2 1. 내 이웃 이야기
4	이웃	국어 1-1 가 5. 다정하게 인사해요 국어 1-2 가 1. 소중한 책을 소개해요 국어 1-2 나 6. 고운 말을 해요	국어 1-2 나 8. 띄어 읽어요 통합교과 봄 1-1 1. 학교에 가면 통합교과 가을 1-2 1. 내 이웃 이야기
5	어휘 복습	국어 1-2 가 5. 알맞은 목소리로 읽어요 국어 1-2 나 7. 무엇이 중요할까요 수학 1-2 1. 100까지의 수	통합교과 가을 1-2 1. 내 이웃 이야기 통합교과 겨울 1-2 2. 우리의 겨울

4주

일	주제	교과 및 연계 단원	
1	명절	통합교과 여름 1-1 1. 우리는 가족입니다	통합교과 가을 1-2 2. 현규의 추석
2	예절	국어 1-2 가 4. 바른 자세로 말해요 국어 1-2 나 6. 고운 말을 해요	통합교과 여름 1-1 1. 우리는 가족입니다 통합교과 가을 1-2 1. 내 이웃 이야기
3	우리나라	국어 1-1 가 2. 재미있게 ㄱ ㄴ ㄷ 국어 1-1 가 3. 다 함께 아야어여	통합교과 가을 1-2 2. 현규의 추석 통합교과 겨울 1-2 1. 여기는 우리나라
4	세계	통합교과 봄 1-1 1. 학교에 가면	통합교과 가을 1-2 2. 현규의 추석
5	어휘 복습	국어 1-1 나 9. 그림일기를 써요 국어 1-2 나 9. 겪은 일을 글로 써요 수학 1-1 1. 9까지의 수	수학 1-1 2. 여러 가지 모양 통합교과 겨울 1-2 1. 여기는 우리나라

정답

1일

8~9쪽

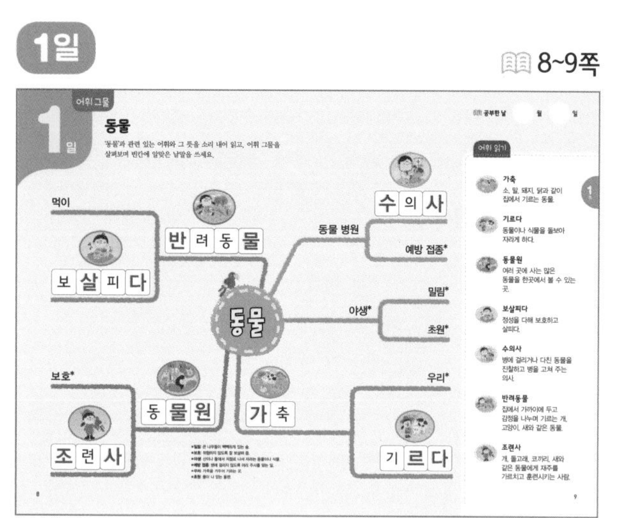

10~11쪽

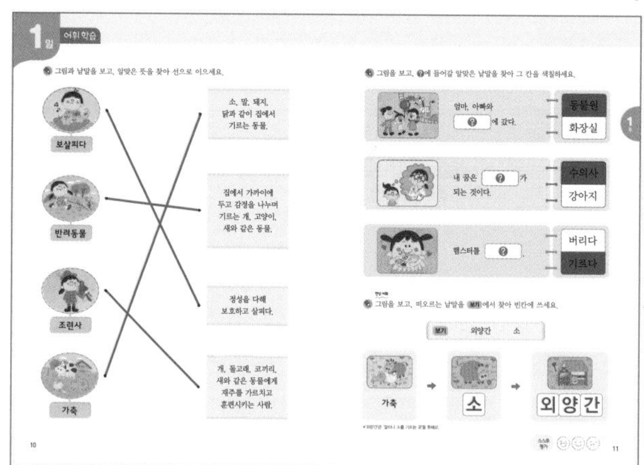

2일

12~13쪽

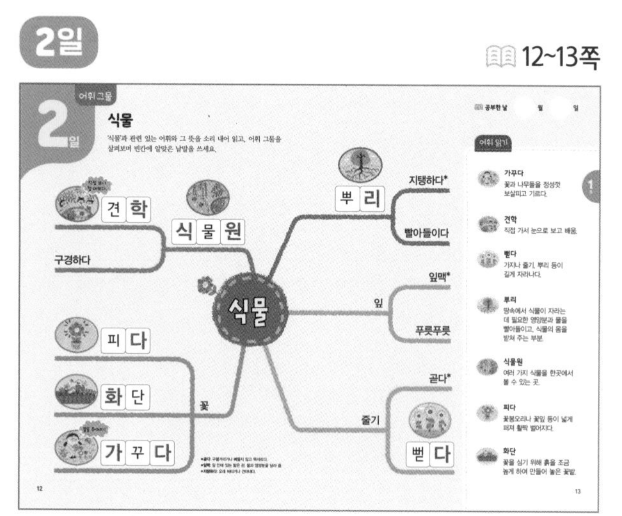

14~15쪽

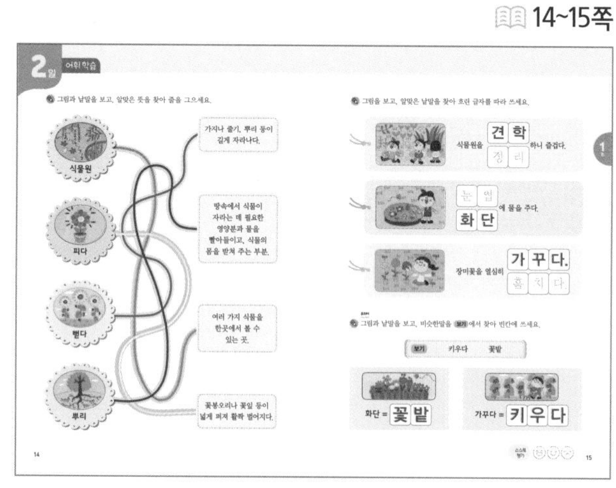

3일

16~17쪽

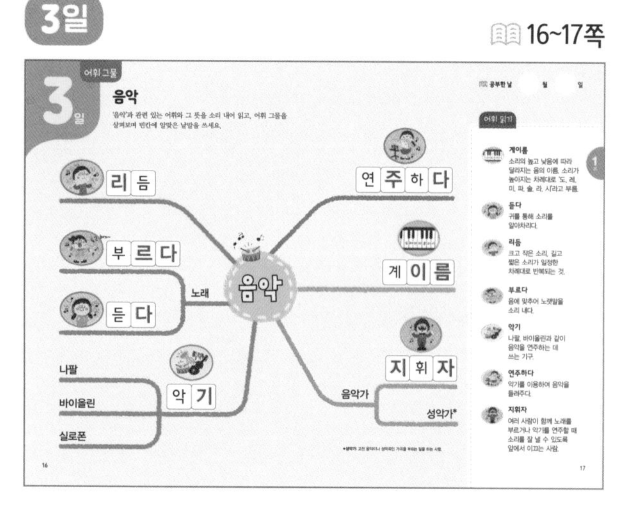

18~19쪽

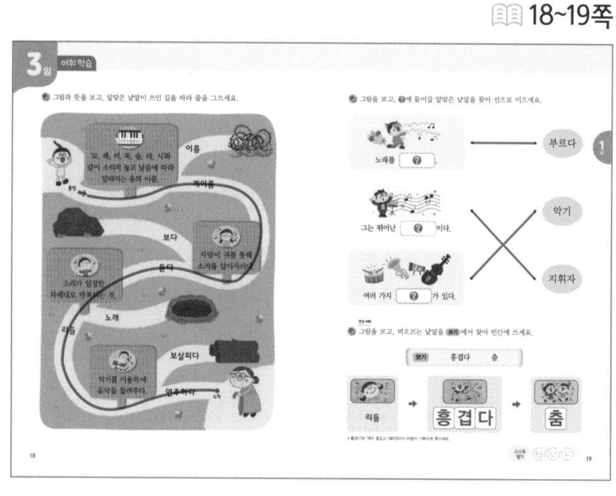

4일

20~21쪽

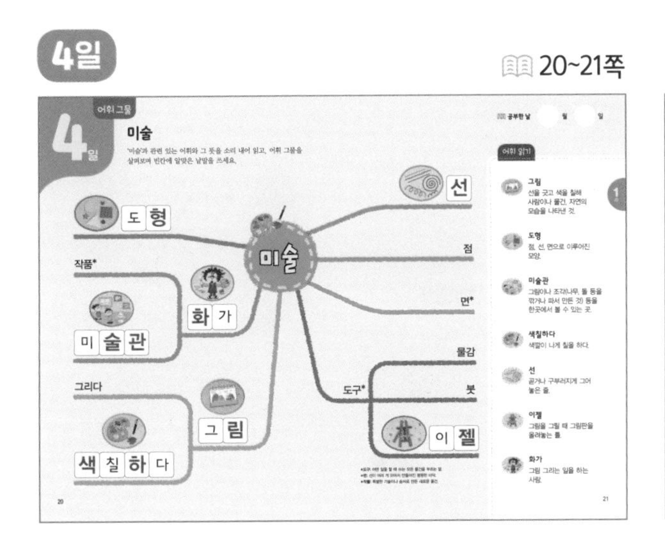

22~23쪽

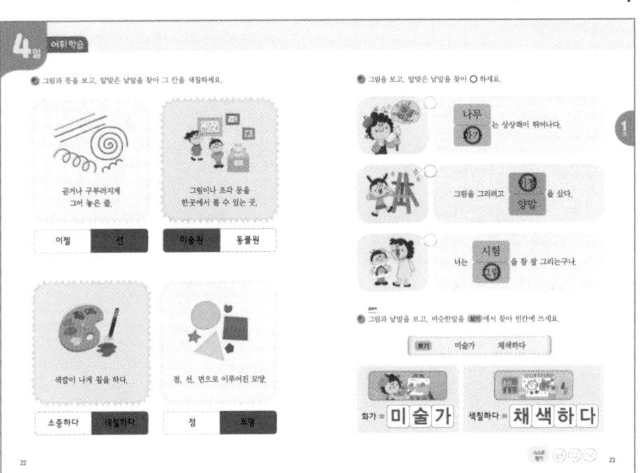

5일

24~25쪽

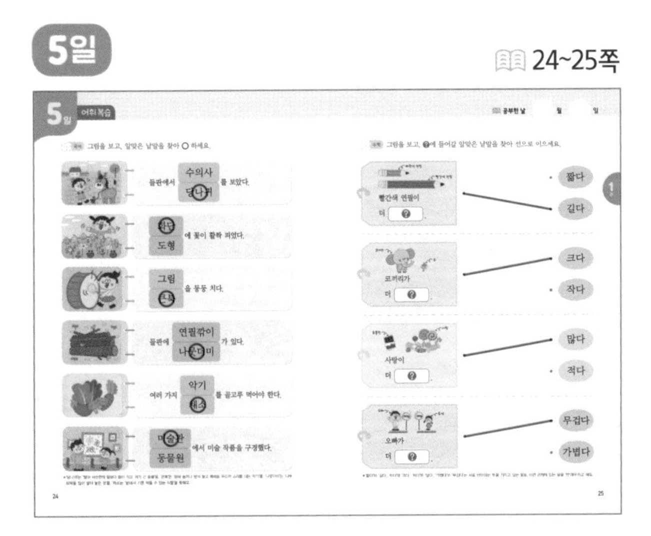

26~27쪽

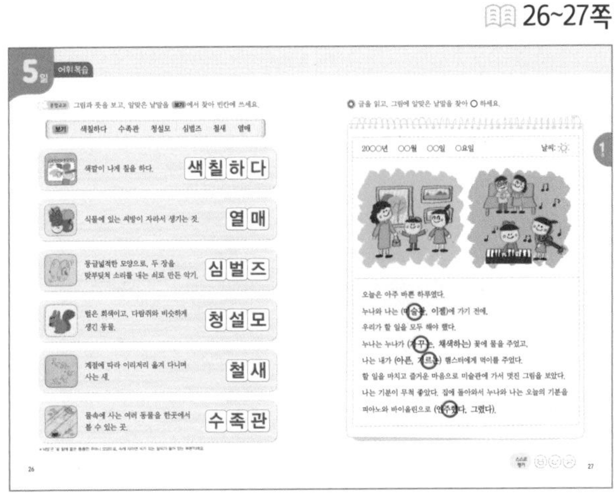

28쪽

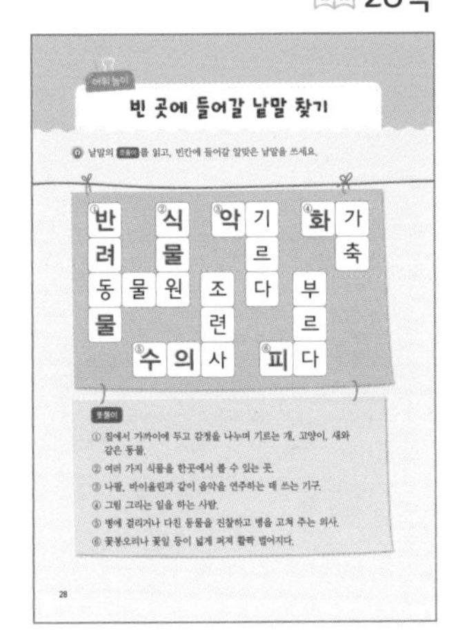

2주 정답

1일

32~33쪽

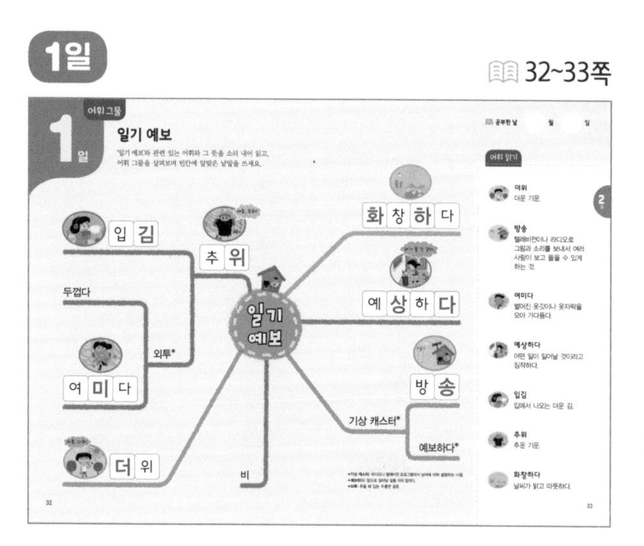

34~35쪽

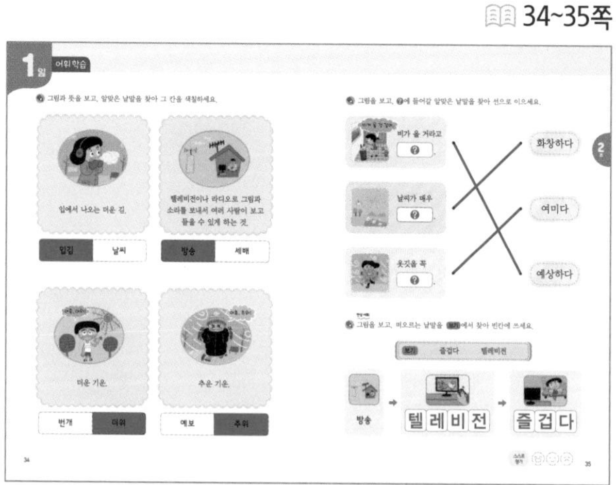

2일

36~37쪽

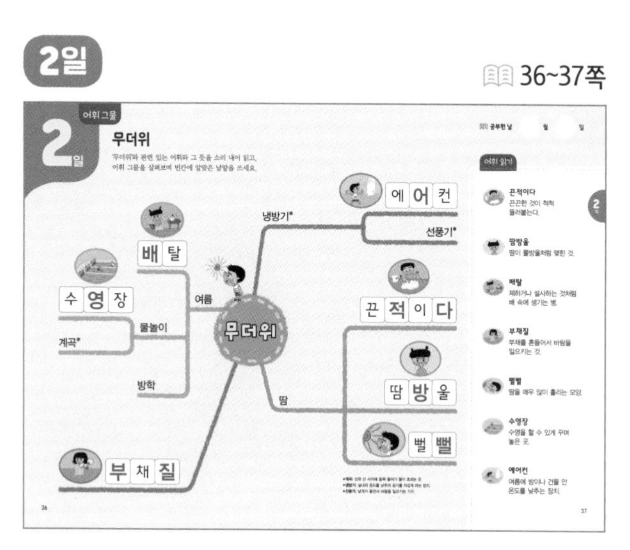

38~39쪽

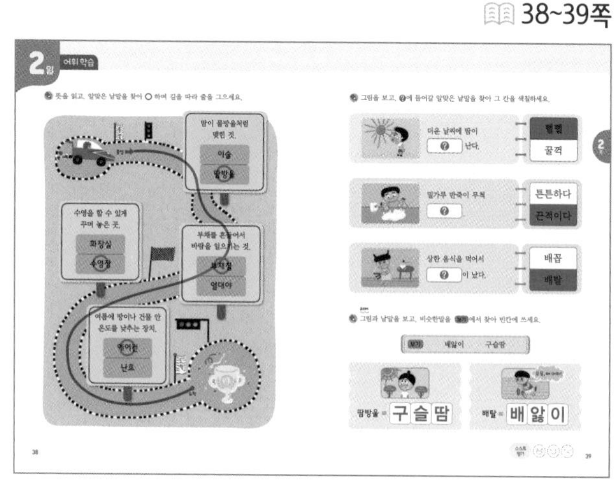

3일

40~41쪽

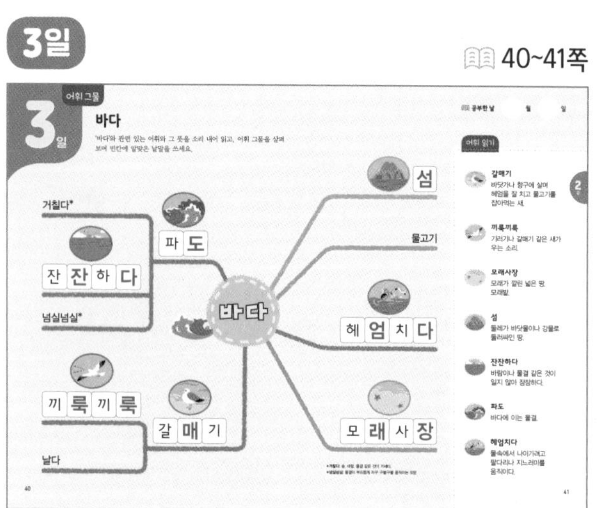

42~43쪽

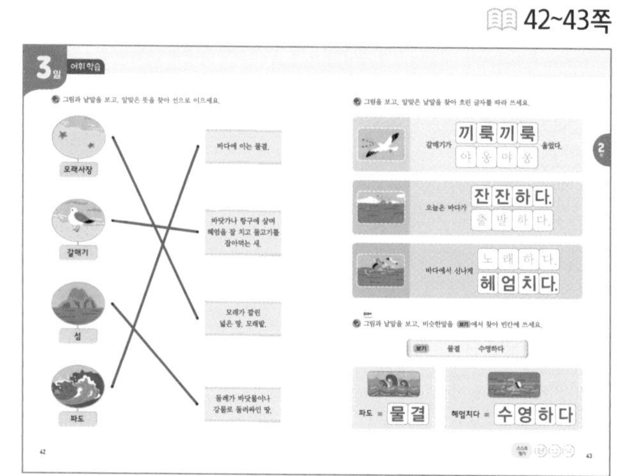

4일

44~45쪽

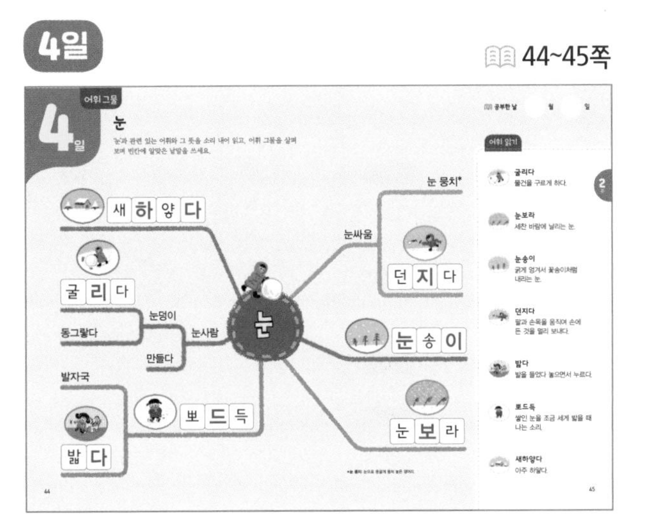

46~47쪽

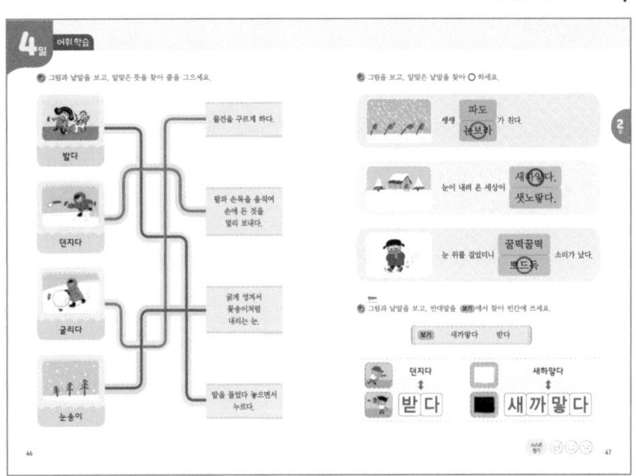

5일

48~49쪽

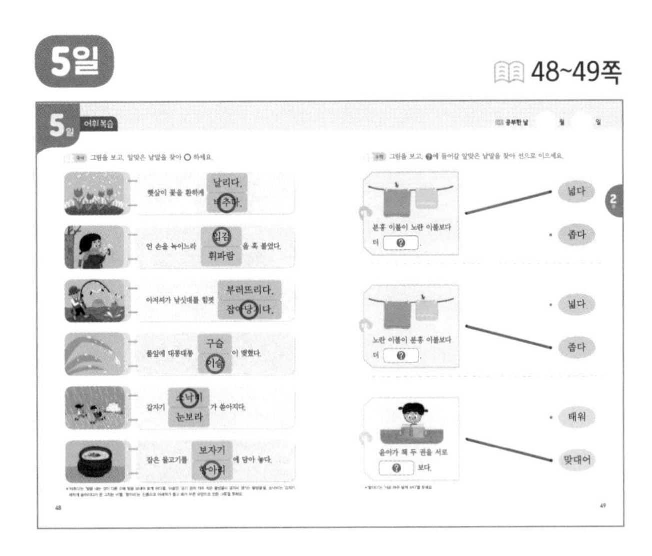

50~51쪽

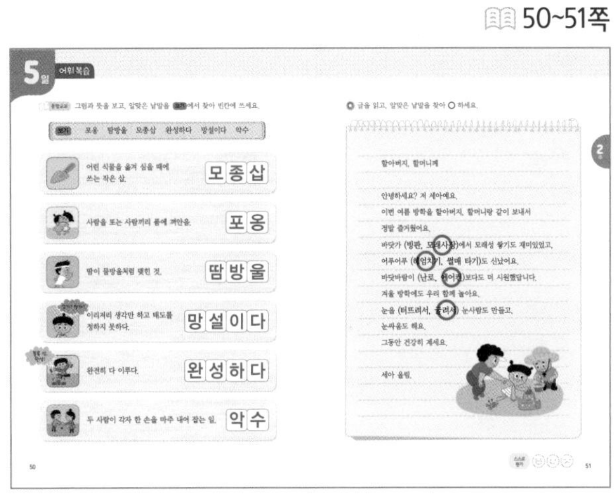

52쪽

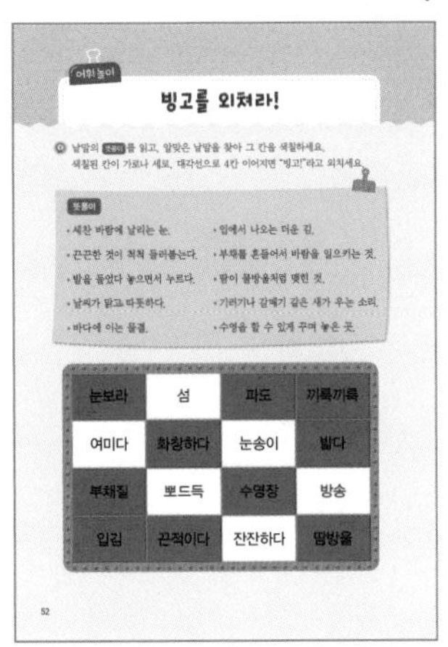

1일

56~57쪽

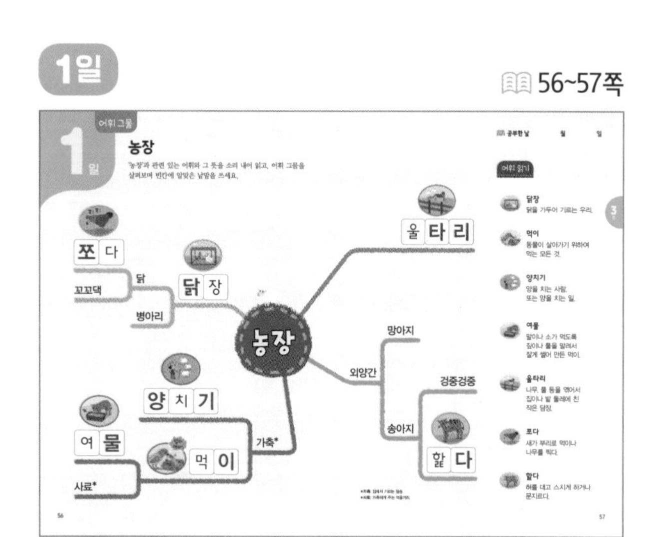

58~59쪽

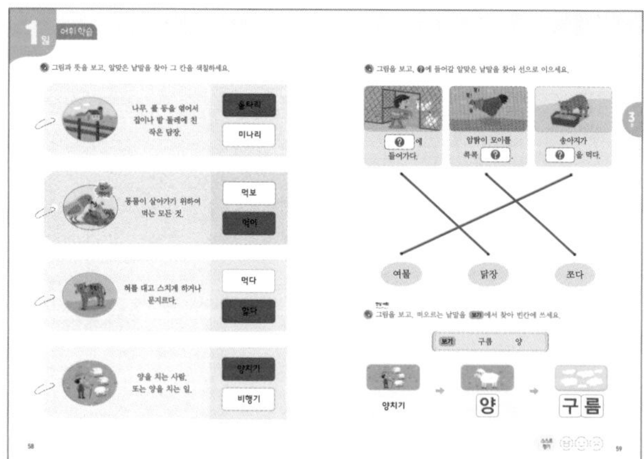

2일

60~61쪽

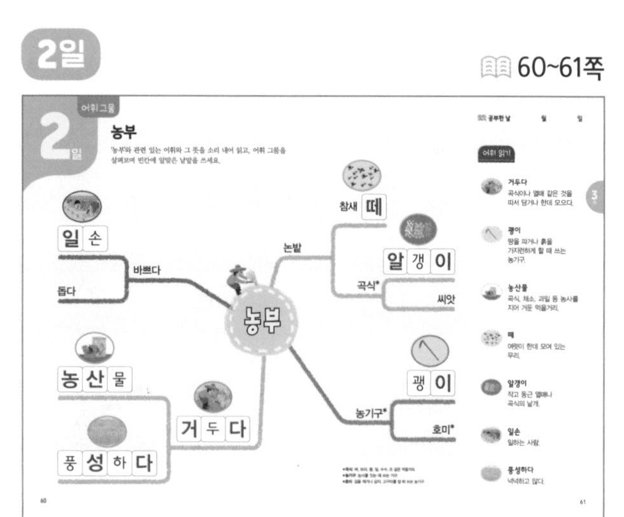

62~63쪽

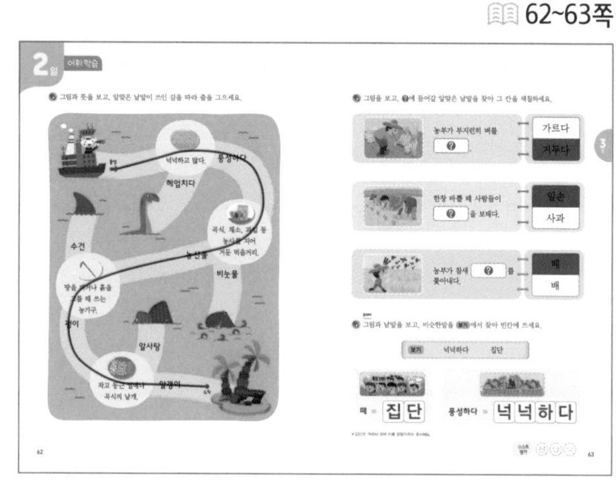

3일

64~65쪽

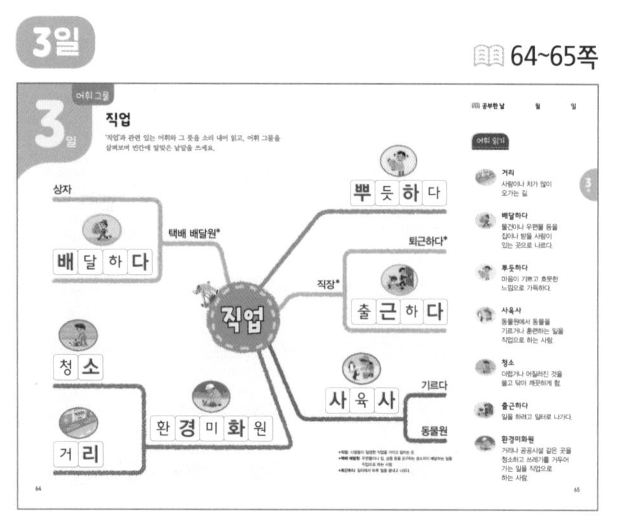

66~67쪽

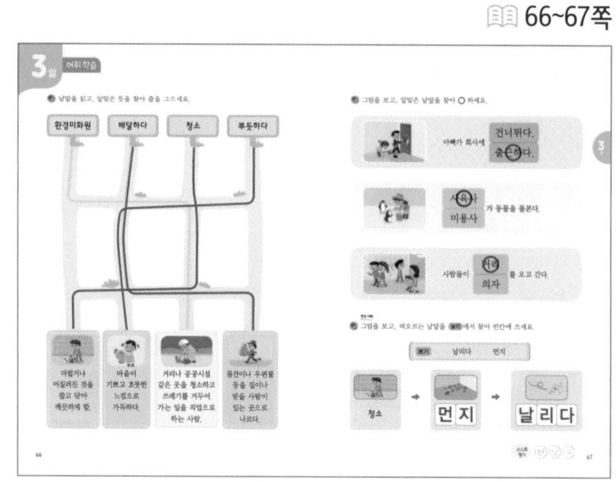

4일

68~69쪽

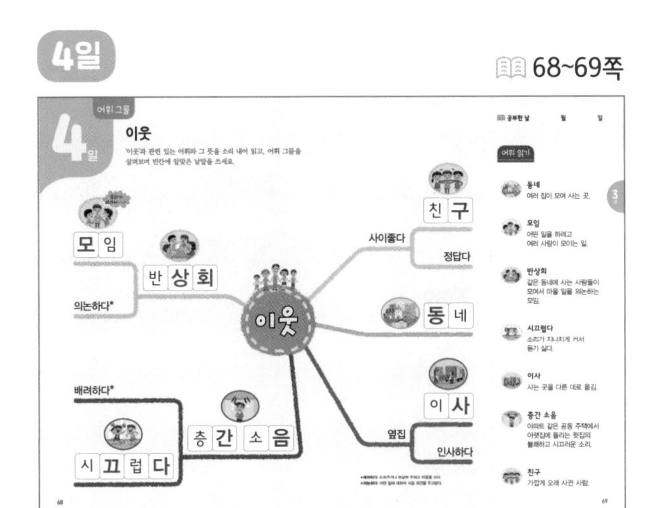
4일 어휘 그물

이웃

모임 반상회 의논하다* 친구 사이좋다 정답다 동네 이사 옆집 인사하다 배려하다* 층간 소음 시끄럽다

70~71쪽

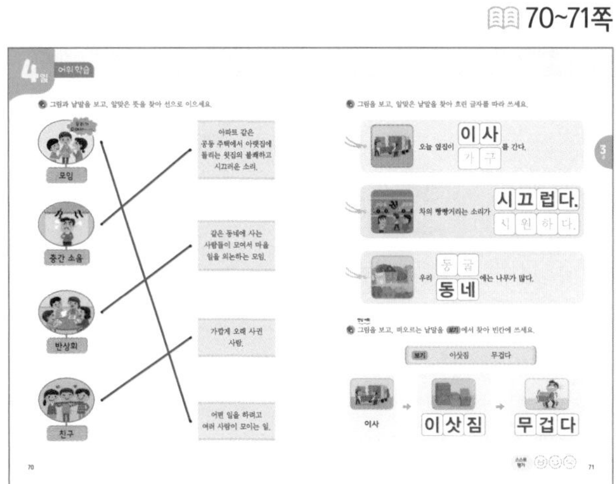
4일 어휘 학습

모임 층간 소음 반상회 친구

이사 시끄럽다. 동네

이사 이삿짐 무겁다

5일

72~73쪽

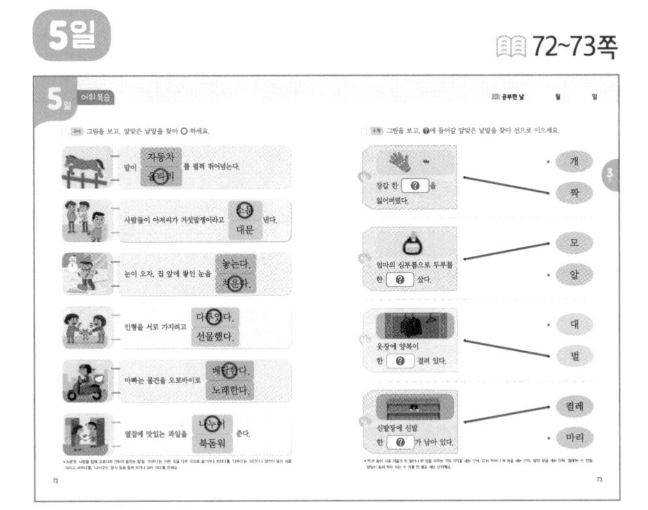
5일 어휘 복습

자동차 울타리 대문 놓는다. 쌓는다. 다정하다. 선물했다. 배달한다. 노래한다. 나누어 복돋워

개 짝 모 알 대 벌 켤레 마리

74~75쪽

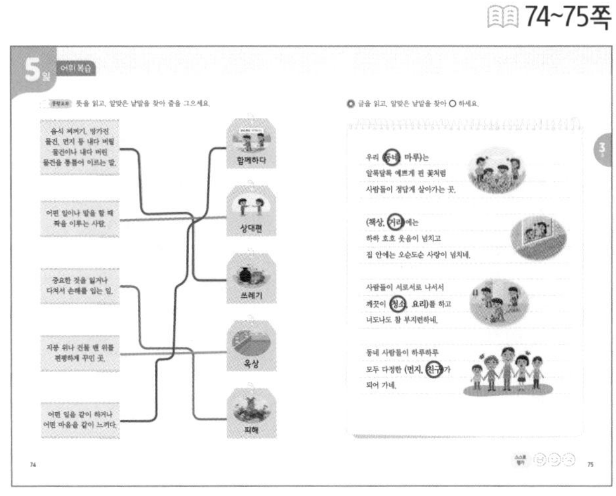
5일 어휘 복습

함께하다 상대편 손해 옥상 화해

76쪽

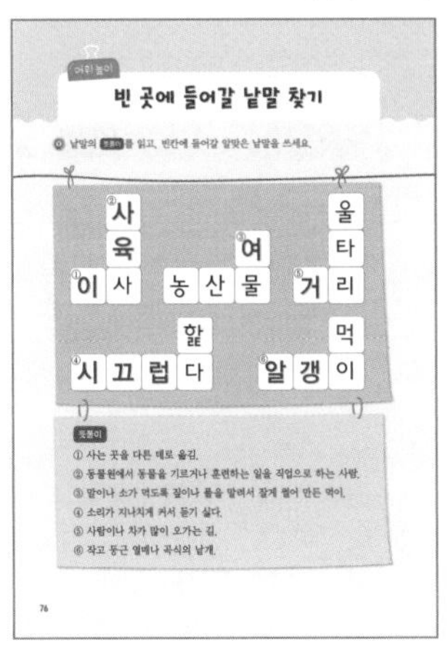
어휘 놀이

빈 곳에 들어갈 낱말 찾기

사 육 이사 농산물 여 울타리 거리 할 먹 시끄럽다 알갱이

4주 정답

1일

80~81쪽

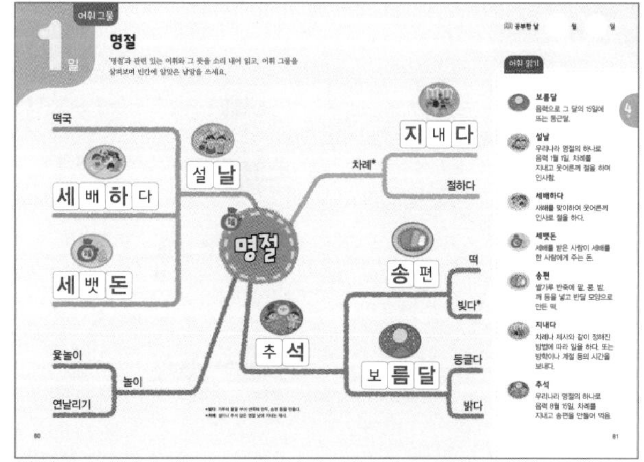

82~83쪽

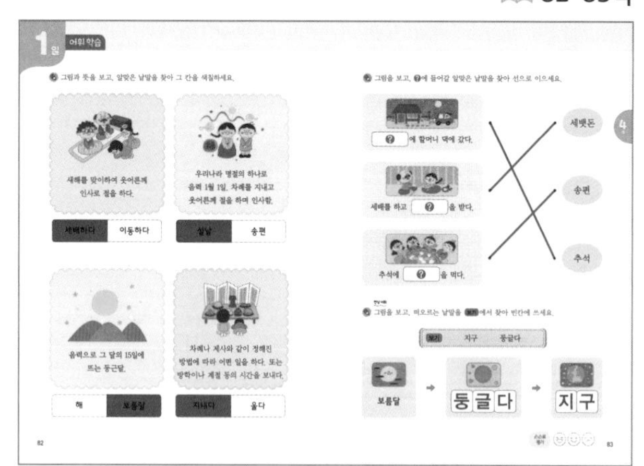

2일

84~85쪽

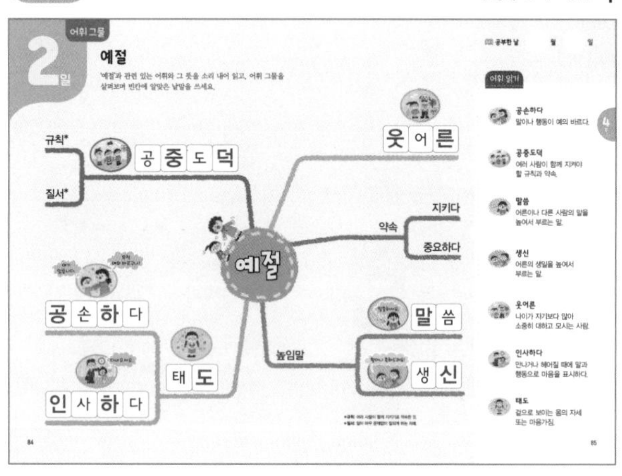

86~87쪽

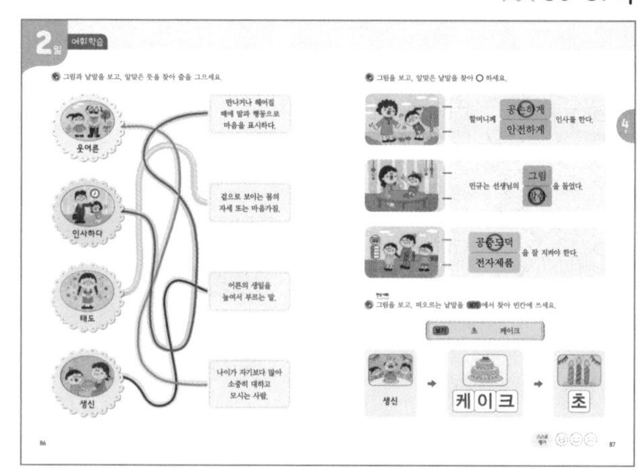

3일

88~89쪽

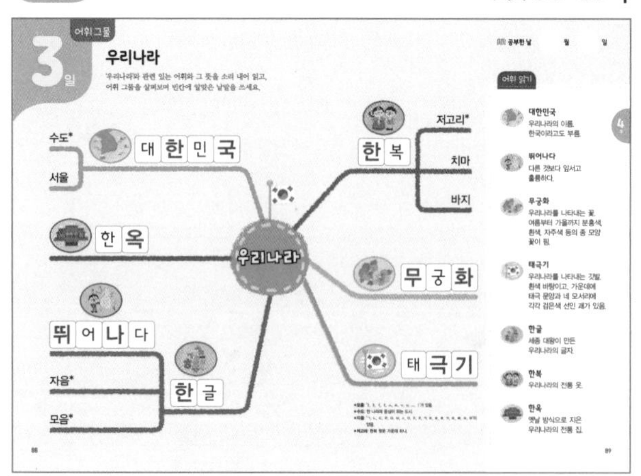

90~91쪽

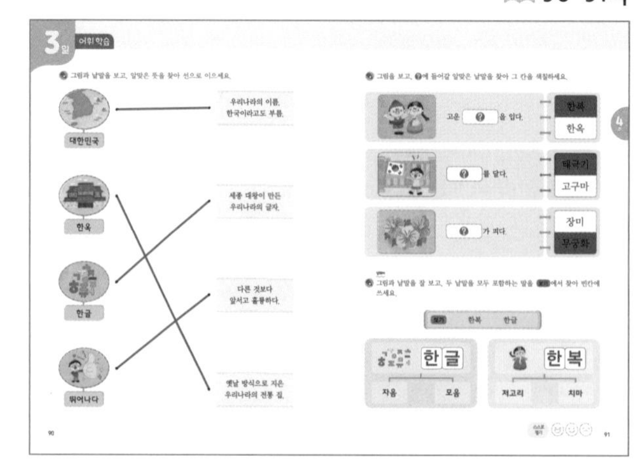

4일

92~93쪽

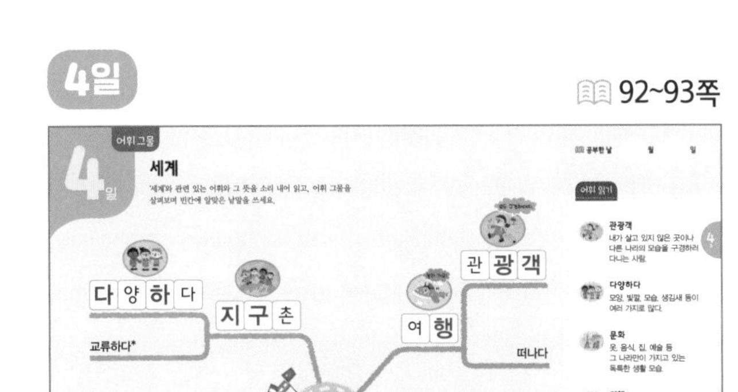

94~95쪽

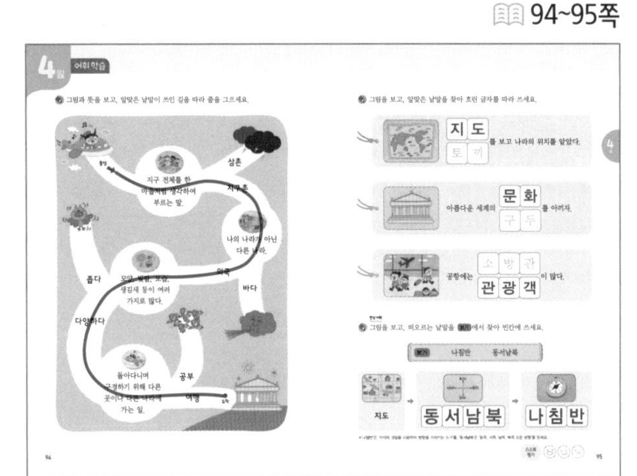

5일

96~97쪽

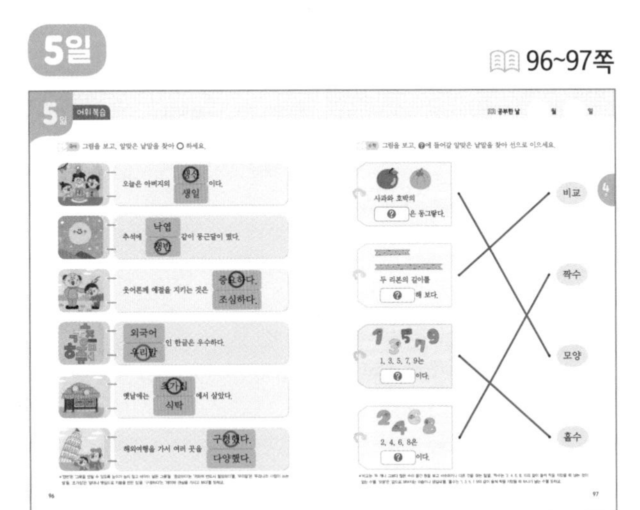

98~99쪽

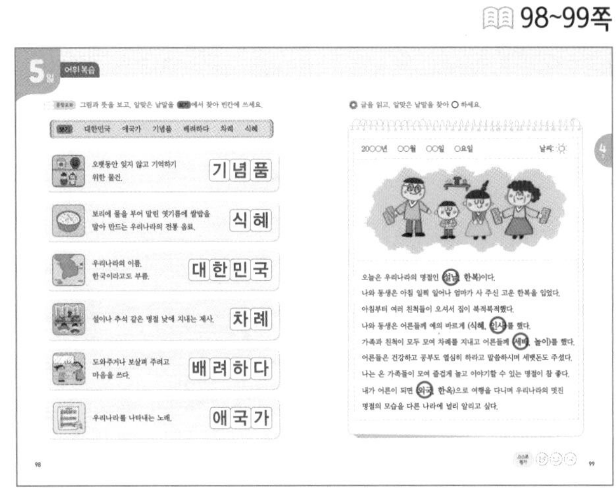

100쪽

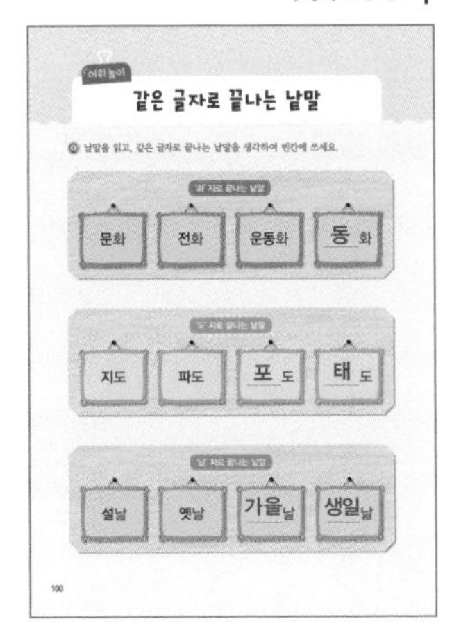

초등 메가 어휘력 어휘 주제표

예비 초등

구분	1권	2권	3권
1주	나	동물	신체
	가족	식물	얼굴
	유치원	음악	감정
	친구	미술	식사
2주	옷	일기 예보	운동회
	건강	무더위	놀이
	생활 도구	바다	놀이공원
	우리 동네	눈	여행
3주	건강한 생활	농장	운동 경기
	병원	농부	교통
	청소	직업	안전
	집	이웃	시간
4주	봄	명절	하루
	여름	예절	일기
	가을	우리나라	학교
	겨울	세계	옛이야기

초등

구분	초등 1~2학년			초등 3~4학년		
	1권	2권	3권	4권	5권	6권
1주	나	동물	방학	나	문학	한글
	가족	식물	편지	집	민주주의	일
	학교	곤충	공연	자연환경	날씨	공공 기관
	친구	질병	체험	전통 음식	문화유산	회의
2주	예절	시간	도서관	언어	시	쓰레기
	우리 동네	옛날	박물관	고장	명절	갯벌
	명절	환경	공룡	물질	환경 오염	자연재해
	우리나라	우주	자동차	교통과 통신	소설	전쟁
3주	성격과 감정	도구	바느질	측정	감각	물체
	우정	음악	요리	지도	경제	자석
	대화	미술	반려동물	지각	희곡	달
	친척	세계	장마	가족 행사	우주	과학자
4주	봄	농사	물놀이	가정	위인	여가
	여름	조상	자전거	음식	전통	배
	가을	작은 동물	낚시	절약	국가	교통사고
	겨울	화재	등산	의사소통	올림픽	에너지